Pasquale Cipro Neto

O dia-a-dia da nossa língua

O Professor Pasquale analisa
a língua portuguesa
e você aprende em exercícios
com respostas.

Ilustrado por Daniel Kondo

EP&A

PUBLIFOLHA

"O dia-a-dia da nossa língua"

Texto: Pasquale Cipro Neto
Concepção e desenvolvimento do projeto editorial: Verena Alves Peixoto
Capa, projeto gráfico e ilustrações: Daniel Kondo
Coordenação de produção: Roberto Chilvarguer
Assistência de produção: Carolina Montenegro
Arte final: Alexandre Alcântara
Foto da capa: Roberto Stelzer

Dados Internacionais de Catalogação na Publicação (CIP)
(Câmara Brasileira do Livro, SP, Brasil)

Cipro Neto, Pasquale
O dia-a-dia da nossa língua : o Professor Pasquale analisa a língua portuguesa e você aprende em exercícios com respostas / Pasquale Cipro Neto ; ilustrado por Daniel Kondo. – São Paulo : Publifolha, 2002.

ISBN 85-7402-355-8

1. Português – Gramática – Estudo e ensino I. Kondo, Daniel. II. Título.

02-1286 CDD-469.507

Índices para catálogo sistemático:
1. Gramática : Português : Estudo e ensino 469.507
2. Língua portuguesa : Gramática : Estudo e ensino 469.507

Direitos desta edição resevados a:
Publifolha – Divisão de Publicações do Grupo Folha
Al. Barão de Limeira, 401, 6º andar, Campos Elíseos, CEP 01202-001, São Paulo, SP
Tel.: (11) 3224-2196/2202/2205 Fax: (11) 3224-2163
E-mail: publifolha@publifolha.com.br
Site: www.publifolha.com.br

Sob licença de:
EP&A Planejamento Institucional
Av. Nove de Julho, 5966, 10º andar, conjunto 102, Jardim Paulistano,CEP 01406-200, São Paulo, SP
Tel.: (11) 3083-7433 Fax: (11) 3082-3185
Site: www.nossalinguaportuguesa.com.br
Licenciamento e agenciamento do professor Pasquale Cipro Neto: EP&A

Impresso na Bandeirantes Indústria Gráfica S/A em abril de 2002

Em meus programas de rádio e TV e nas várias obras didáticas ou paradidáticas que assino, sempre tento ir além do limite do "é assim", "é assado". Meu objetivo tem sido o de levar ao maior número de leitores a informação lingüística de maneira simples e clara. Não costumo falar para acadêmicos ou especialistas. Falo para aqueles que precisam entender os caminhos da norma lingüística padrão, que nem sempre lhes é acessível. Nesta obra, o objetivo não muda. A cada capítulo, são agrupados quatro textos, com exercícios de fixação do conteúdo apresentado.

Sem discriminar nenhum tipo de linguagem, privilegia-se o conhecimento do padrão culto, de aprendizado indiscutivelmente necessário. São analisados os principais tópicos da matéria: acentuação, grafia, concordância, regência, conjugação e emprego dos verbos, classes de palavras, emprego de pronomes, vocabulário, pontuação etc.

Com "O Dia-a-dia da Nossa Língua", tenho a esperança de quebrar alguns dos mistérios que distanciam muitas pessoas da variedade padrão da língua portuguesa.

Boa leitura!

Pasquale Cipro Neto

Sumário

O dia-a-dia d

a nossa língua

"As cuecas de Edmundo"

Grafia de algumas formas verbais: verbos "ter", "ver", "vir, "crer", "dar", "ler" e derivados

Na época da convocação da Seleção Brasileira para a Copa do Mundo de 1998, lendo os jornais, dei de cara com uma baita foto do jogador Edmundo, de cuecas, com uma bola (de futebol) no meio das pernas. Com cara de coitadinho, o "Animal" pedia nova chance na Seleção.

No alto da página, o título, imenso, dizia: "Me dêm mais uma chance na Seleção". Pobre Edmundo! Paga pelo que faz e pelo que não faz. No caso da indisciplina dentro de campo, nada mais justo do que punir o craque. Mas atribuir-lhe erros gramaticais elementares é no mínimo maldade pura.

Você já desconfiou? Já sabe qual é o problema? O fato é o seguinte: o diabo não dorme nunca, está sempre de plantão, principalmente nas redações dos jornais, revistas, agências de propaganda etc. O diabo não perde a chance de aprontar. E resolveu fazer surgir a forma "dêm".

Nego-me a crer que um redator profissional tenha escrito deliberadamente a forma "dêm". Mas muita gente viu o anúncio. Levando em conta que no Brasil as pessoas têm muita dificuldade para lidar com o padrão formal da língua — a começar pela ortografia—, o efeito da propaganda é devastador. Então é bom ver direito essa história.

Vamos lá. A dúvida aparece sempre na hora de optar por "e" ou "ê", por "ê" ou "êe". E não é difícil guardar o que é considerado correto. Quando se conjugam os verbos "ter" e "vir", nada de "êe". No presente, na terceira do singular, você deve escrever "ele tem, ele vem". Na terceira do plural, você deve escrever "eles têm, eles vêm". Mas, por favor, nada de ler "teeeeeem", como muita gente acha que deve fazer. Na boca, "vem" e "vêm" são absolutamente iguais. "Tem" e "têm", também. Não espiche o "e" na leitura, por favor.

VERBO TER		VERBO VIR	
PRESENTE DO INDICATIVO			
eu	tenho	eu	venho
tu	tens	tu	vens
ele	tem	ele	vem
nós	temos	nós	vimos
vós	tendes	vós	vindes
eles	têm	eles	vêm

E QUANDO É QUE SE USA A VOGAL DOBRADA (ÊE)?

Isso aparece na conjugação dos verbos "crer", "dar", "ler", "ver" e derivados ("descrer", "reler", "prever", "rever" etc.). É o caso de "crêem", "dêem", "lêem", "vêem", "descrêem", "relêem", "prevêem", "revêem" etc.

Você já percebeu que colocaram na conta do pobre Edmundo uma grande mancada: não existe "dêm". O correto é "dêem". Já disse que não acredito que o redator tenha escrito isso por convicção. O diabo certamente estava de plantão. Mas que é duro de engolir é. Se você viu o anúncio, pode até comprar as cuecas, mas não compre a grafia.

POR FALAR EM CUECAS, É "CUECA" OU "CUECAS"?

O dicionário de Caldas Aulete só registra o plural ("cuecas"). O de Aurélio Buarque diz que as duas formas são possíveis ("cueca" e "cuecas"), desde que com o artigo adequado ("a cueca", "as cuecas"). Pode-se dizer o mesmo em relação ao par "calça"/"calças".

ALGUMAS PALAVRAS QUE SE EMPREGAM PREFERENCIALMENTE NO PLURAL

os afazeres	as finanças
os Estados Unidos	as núpcias
as fezes	as olheiras

PALAVRAS COMPOSTAS QUE TÊM FORMA FIXA, MAS EXIGEM QUE O ARTIGO VARIE:

o/os guarda-costas	o/os porta-seios
o/os pára-quedas	o/os porta-toalhas
o/os pára-raios	o/os tira-dúvidas
o/os porta-aviões	o/os toca-discos
o/os porta-luvas	o/os toca-fitas
o/os porta-malas	

O plural de **lápis** é lápis mesmo (**o lápis/ os lápis**).
Óculos é substantivo plural **(os óculos)**.

Voltando ao problema da grafia dos verbos, é fundamental não esquecer que os derivados de "ter" ("deter", "manter", "reter", "obter", "conter", "entreter" etc.) e "vir" ("intervir", "provir", "convir" etc.) obedecem a um esquema particular.

QUAL É A FORMA CORRETA: "ELE MANTÊM" OU "ELE MANTÉM"?

Na terceira do singular do presente do indicativo, deve-se empregar o acento agudo, sem dobrar a vogal: "ele mantém", "a caixa contém", "a máquina retém", "você obtém", "a mãe entretém", "a polícia intervém", "o preço convém", "a mercadoria provém".

E NO PLURAL: "ELES MANTÊM" OU "MANTÊEM"?

Na terceira do plural, não se dobra a vogal, mas o acento deixa de ser agudo e passa a ser circunflexo: "eles mantêm", "as caixas contêm", "as máquinas retêm", "vocês obtêm", "as mães entretêm", "os policiais intervêm", "os preços convêm", "as mercadorias provêm".

> **A TERMINAÇÃO "ÊEM"**
>
> Não ocorre a terminação "êem" nos verbos "ter", "vir" e derivados ("deter", "manter", "entreter", "conter", "reter", "obter", "abster", "intervir", "convir", "provir" e outros).

POR QUE O ACENTO MUDA? POR QUE O SINGULAR E O PLURAL NÃO SÃO IGUAIS?

Vamos ver. Considere a seguinte frase: "Que poder detem esses jovens?".

QUE ACENTO VOCÊ PORIA NA FORMA VERBAL?

Pense bem. Com acento agudo ("detém"), o sujeito seria "poder". Perguntar-se-ia que poder é capaz de deter, frear, impedir, segurar esses jovens.

Se fosse colocado o acento circunflexo, o sujeito passaria a ser "esses jovens". Mudaria também o significado do verbo "deter". Perguntar-se-ia que poder esses jovens possuem, têm nas mãos.

> **MAIS SOBRE A TERMINAÇÃO "ÊEM"**
>
> A terminação "êem" é exclusiva dos verbos "crer", "dar", "ler", "ver" e derivados ("descrer", "reler", "prever", "rever", "entrever" e outros).

Resumindo: no primeiro caso ("detém"), quer-se saber o que é capaz de segurar os jovens; no segundo ("detêm"), quer-se saber de que tipo de poder esses jovens são donos, que tipo de poder eles têm nas mãos. Percebeu? Antes de reclamar dos acentos da língua portuguesa, é bom descobrir sua real importância.

Antes que alguém cobre um comentário sobre a posição do "me" na frase da propaganda, vou logo dizendo que isso é assunto para outro texto.

Voltando às cuecas, vocês, leitores, devem dar um desconto a Edmundo. Dêem um desconto a ele. E que ele tome cuidado. Essa história de mandinga com as cuecas alheias não costuma dar bons resultados. Te cuida, Animal!

exercício 1

1- Assinale a alternativa correta:

a) Dêm-me mais uma chance na seleção.
b) Dêem-me mais uma chance na seleção.

2- Coloque o acento circunflexo no grupo de palavras abaixo:

creem, deem, leem, veem, descreem, releem, preveem, reveem, coo, voo, enjoo, magoo, abotoo.

3- Preencha as frases abaixo com uma forma dos verbos "ter" ou "vir", no presente do indicativo:

a) Ele ________________ participado dos treinos.

b) Eles ________________ participado dos treinos.

c) Ele ________________ para a entrega do troféu.

d) Eles ________________ para a entrega do troféu.

4- Agora, preencha as frases com os verbos indicados entre parênteses, no presente do indicativo:

a) Ele ________________ o título de melhor jogador europeu. (deter)

b) Eles ________________ os títulos de melhores jogadores europeus. (deter)

c) Ele ________________ excelente padrão de jogo durante os 90 minutos. (manter)

d) Eles ________________ excelente padrão de jogo durante os 90 minutos. (manter)

e) Ele se ________________ da vida noturna antes dos jogos. (abster)

f) Eles se ________________ da vida noturna antes dos jogos. (abster)

g) Ele ________________ a bola no ataque como poucos jogadores. (reter)

h) Eles ________________ a bola no ataque como poucos jogadores. (reter)

i) Ele ________________ a torcida com seus dribles desconcertantes. (entreter)

j) Eles ________________ a torcida com seus dribles desconcertantes. (entreter)

l) Ele ________________ de um time da segunda divisão. (provir)

m) Eles ________________ de um time da segunda divisão. (provir)

"O diabo de plantão"

Alguns verbos problemáticos e suas conjugações: verbos terminados em "air", "uir" e "oer"

Um leitor enviou uma mensagem extremamente gentil, em que dizia que, em determinada edição, havia publicado o seguinte título no jornal: "Zagallo exclue o craque do jogo contra o País de Gales".

JÁ DESCOBRIU QUAL É O PROBLEMA?

Na Redação, alguém logo percebeu e felizmente o erro só apareceu em 10% das edições. Nosso leitor perguntava se é correta a grafia da forma "exclue", do verbo "excluir". Imagino que você não tenha dúvida quanto à conjugação de verbos como "decidir", "dirigir", "permitir", "transferir", "insistir", "assistir', "conferir", todos terminados em "ir".

COMO TERMINA CADA UMA DAS FORMAS VERBAIS A SEGUIR, DA TERCEIRA PESSOA DO SINGULAR DO PRESENTE DO INDICATIVO?

"Decid___", "dirig___", "permit___", "transfer___", "insist___", "assist___", "confer_____". Nenhuma dificuldade: "decide", "dirige", "permite", "transfere", "insiste", "assiste", "confere". Qual a última letra? A vogal "e", é claro.

VERBO DECIDIR

PRESENTE DO INDICATIVO

eu decido	nós decidimos
tu decides	vós decidis
ele decide	eles decidem

Muito bem. Ocorre que, quando o verbo termina em "air" ou "uir", como "sair", "cair", "trair", "possuir", "substituir", "concluir", "excluir", a conversa é outra. Em vez de "e", aparece "i": "ela sai", "o menino cai", "alguém trai", "o rapaz possui", "o treinador substitui", "o comentarista conclui", "o técnico exclui".

Tome cuidado com um detalhe importante: "eu concluí/ele conclui"; "eu saí/ele sai"; "eu possuí/ele possui". O acento é fundamental. Ele simplesmente diferencia presente de passado e "eu" de "ele".

VERBO SAIR

PRESENTE DO INDICATIVO	PRETÉRITO PERFEITO
eu saio	eu saí
tu sais	tu saíste
ele sai	ele saiu
nós saímos	nós saímos
vós saís	vós saístes
eles saem	eles saíram

DE ONDE AS PESSOAS TIRAM A FORMA "CONCLUE"?

Não é difícil explicar. Existe em língua um fenômeno chamado contaminação, transferência. Como de "permitir" se faz "permite", de "assistir" se faz "assiste", de "conferir" se faz "confere", as pessoas acabam se confundindo quando conjugam verbos como "concluir" ou "sair" e ficam com vontade de manter a vogal "e". Aí surgem os erros. Nada de "conclue", "sae", "cae", "influe", "substitue", "atribue".

Vale a pena repetir: com verbos terminados em "air" ou "uir", nada de "ae", nada de "ue", na terceira do singular do presente: "ele sai", "ele atribui", "ele distribui". Outro motivo para que a confusão se estabeleça é a terceira do plural.

POR QUÊ?

Porque aparece o seguinte: "eles saem", "eles concluem". E tome contaminação! Muita gente vê as seqüências "ae" e "ue" e faz confusão. Então é melhor conjugar direito de uma vez: "ele sai, eles ________"; "ele conclui, eles ________"; "ele cai, eles ________"; "ele substitui, eles ________________". Acertou quem preencheu: "saem", "concluem", "caem" e "substituem".

Complete a frase:

"ELE POSSU_____ DISCOS RARÍSSIMOS".
QUE LETRA VOCÊ PORIA?

Se disse "i", acertou. "Eles possu____m discos raríssimos". E agora? Acertou quem disse "e": "possuem".

Outro problema são os verbos terminados em "oer", como "roer", "doer", "moer". E tome confusão! Nada de dúvida. Na terceira do singular do presente, a terminação é "ói": "Ela mesma mói a carne"; "O rato rói o que encontra pela frente"; "O braço ainda me dói".

Na embalagem de um processador de alimentos de uma famosa marca —talvez a mais famosa delas— está escrito "móe", com "e" mesmo: "Rala, tritura, móe". Nada de "moe", "doe", "roe", muito menos de "móe", "dóe", "róe". Repito: "dói", "rói", "mói".

E NO PLURAL?

Nada de dúvida: "eles moem", "os ratos roem", "os dentes doem". E aí talvez esteja —de novo— a raiz da confusão. Como no plural aparece o grupo "oe", no singular surge a dúvida. É simples: no presente, "ói" no singular e "oem" no plural.

Para terminar, uma turminha da pesada: os verbos "destruir", "construir" e "reconstruir". Você sabe muito bem conjugá-los no presente. Sabe que na terceira do singular aparece a letra "o". Isso mesmo: "destrói", "constrói", "reconstrói". Cuidado com a tentação de escrever "óe", ou "oe". Nada disso. Lembre-se de Caetano Veloso, na genial "Sampa": "Da força da grana que ergue e destrói coisas belas". E no plural? Nenhum problema: "destroem", "constroem", "reconstroem". E nada de acento.

VERBO ROER	VERBO DESTRUIR
PRESENTE DO INDICATIVO	
eu rôo	eu destruo
tu róis	tu destróis (ou destruis)
ele rói	ele destrói (ou destrui)
nós roemos	nós destruímos
vós roeis	vós destruís
eles roem	eles destroem (ou destruem)

Moral da história: nosso leitor tem bom faro. E azar, já que recebeu o jornal com erro. O correto é: "Zagallo exclui craque do jogo contra o País de Gales".

POR FALAR EM PAÍS DE GALES, QUAL É O ADJETIVO RELATIVO A ESSE INTEGRANTE DA GRÃ-BRETANHA?

É "galês", com "s" e com acento.

"PEQUENEZ" E "PEQUINÊS"

"Galês" se refere ao País de Gales. E "pequinês"? O cidadão natural de Pequim, capital da China, é "pequinês". Exatamente por isso, o adorável cãozinho, oriundo da China, também é pequinês. Já a qualidade possuída por quem é pequeno é "pequenez". Portanto pode-se falar em "pequenez d'alma". É bom saber que vários dicionários registram a forma paralela "pequeneza". Por isso também se pode falar em "pequeneza d'alma". Falando em "China", vale a pena lembrar que, quando entra em um composto, o adjetivo "chinês" se transforma em "sino". Então um acordo "sino-japonês" nada mais é do que um acordo entre China e Japão.

O VERBO "SOER"

Você já ouviu alguém dizer "como sói acontecer"? "Ele chegou atrasado, como sói acontecer". A frase é erudita, e você precisa conhecê-la. "Sói" é a terceira pessoa do singular do presente do indicativo do verbo "soer". E o que significa "soer"? Vamos aos dicionários: "ser comum, freqüente; ocorrer geralmente; costumar". Então "sói" significa "é comum", "ocorre geralmente". "Ele chegou atrasado, como é comum acontecer".

exercício 2

1- Assinale a alternativa correta:

a) Você exclue todas as possibilidades?

b) Você exclui todas as possibilidades?

2- Complete com "e" ou "i". Acentue se for necessário:

a) Otávio insist ____ em que o trabalho seja finalizado ainda hoje. (insistir)

b) Ele conclu ____ que é absolutamente factível. Porém eu conclu ____ o oposto algumas horas antes. (concluir)

c) A reunião se encerrou assim que eu sa ___ . Isso também acontece quando é ele quem sa ___ . (sair)

d) Atualmente ele possu ___ mais poder de decisão do que eu. Porém isso muda com freqüência. Eu já possu ___ mais poder do que ele. (possuir)

e) O treinador substitu ___ imediatamente os jogadores que não cumprem suas ordens. (substituir)

f) A empresa distribu ___ gasolina em todo o país. (distribui)

g) Constitu ___ erro a troca de "i" por "e" em "destrói". (constituir)

h) Ela dirig ___ como uma louca. (dirigir)

3- Preencha a frase abaixo com os verbos na 3ª pessoa do singular do presente do indicativo:

a) O rato __________ (moer) e ________ (roer) o que encontra pela frente. Isso ________ . (doer)

4- Agora, na 3ª pessoa do plural do presente do indicativo:

a) Os ratos ______________ (moer) e ______________ (roer) o que encontram pela frente. Essas coisas ________ . (doer)

b) Tudo o que Marcelo faz, João Victor __________. (destruir). Paciente, Marcelo _________ (construir) e ___________ . (reconstruir)

"Coisinha tão bonitinha do Pai"

Uso dos pronomes "o" e "lhe"

Algum tempo atrás, o Brasil foi parar em Marte. Não foi um brasileiro que embarcou numa dessas naves espaciais. Foi a canção "Coisinha do Pai", que Beth Carvalho transformou em grande sucesso. Uma engenheira da Nasa, brasileira, sugeriu que a canção fosse o "despertador" do robô que lá estava.

Muito bem, orgulho à parte —afinal, se o Brasil não pode ir para lá, pelo menos que uma coisa nossa vá—, é necessário analisar uma questão lingüística que há na letra dessa canção, mais propriamente no fim: "Vou lhe amando, lhe adorando". E depois: "Agradeço a Deus porque lhe fez".

Longe de mim alguma censura ao modo de falar de milhões de brasileiros, mas é preciso saber que, muitas vezes, há grande diferença entre o que se usa na fala e o que se recomenda no chamado padrão culto da língua. E é esse o caso da letra da canção.

O xis da questão está no uso do pronome "lhe". É comum em muitas regiões do Brasil o emprego desse pronome com qualquer tipo de verbo. Quem é que não se lembra da viúva Porcina, com seu dengoso sotaque nordestino: "Venha cá. Quero lhe abraçar. Quero lhe beijar. Faz tempo que não lhe vejo". Há algum inconveniente nisso?

PRONOMES

São palavras que representam os seres ou se referem a eles. Podem substituir os substantivos ou acompanhá-los, para tornar-lhes claro o sentido. Quando um pronome faz as vezes de um substantivo, ou seja, quando o representa, é chamado de pronome substantivo. Há aqueles que acompanham os substantivos a fim de caracterizá-los ou determiná-los, atuando em funções típicas dos adjetivos.
Daí, a denominação de pronomes adjetivos.

Há seis tipos de pronomes: pessoais, possessivos, demonstrativos, relativos, indefinidos e interrogativos.
"Lhe" é pronome pessoal do caso oblíquo. Pronomes pessoais indicam diretamente as pessoas do discurso. Eles variam de acordo com as funções que exercem nas orações, dividindo-se em pronomes do caso reto e pronomes do caso oblíquo. São do caso oblíquo aqueles que desempenham as funções de complemento verbal (objeto direto ou indireto) ou nominal. Dividem-se em átonos e tônicos, variando de acordo com a tonicidade com que são pronunciados. "Lhe" é pronome oblíquo átono da terceira pessoa do singular.

Vamos pensar. Ensinam as gramáticas que o pronome "lhe" só deve ser associado a verbo que pede preposição, sobretudo a preposição "a". Veja:

"O livro pertence **a você**"
"O livro **lhe** pertence"

"Eu proponho **a você** um acordo"
"Eu **lhe** proponho um acordo"

"Já disse **a você** que não aceito a proposta"
"Já **lhe** disse que não aceito a proposta"

Todos esses verbos pedem a preposição "a" (algo pertence **a** alguém, alguém diz algo **a** alguém, alguém propõe algo **a** alguém).

PREPOSIÇÃO

As preposições estabelecem relações entre palavras : bola **de** gude, arroz **com** feijão. Eis algumas preposições: "a", "ante", "até", "após", "por", "para", "perante", "com", "contra", "de", "desde", "em", "entre", "sem", "sob", "sobre".

As gramáticas também ensinam que, quando o verbo não pede preposição, não se deve usar "lhe", e sim "o" ou "a". É o caso de "Não conheço você/ Não o(a) conheço"; "Faz tempo que não vejo você/ Faz tempo que não o(a) vejo"; "Ninguém ofendeu você/Ninguém o(a) ofendeu". Esses verbos não pedem a preposição "a" (alguém conhece alguém, alguém vê alguém, alguém ofende alguém).

PRONOME LHE

No padrão culto, só se pode usar o pronome "lhe" com verbos que pedem preposição.
Por exemplo:
O biscoito pertence a Henrique.
O biscoito lhe pertence.

Não use "lhe" com verbo que não pede preposição. Não diga "eu vou lhe esperar" quando empregar o padrão culto.

Quem espera espera alguém:
"Eu espero você".

Muito bem. Onde entra a história da canção cantada por Beth Carvalho? É simples. Os verbos do finalzinho da letra —"amar", "adorar" e "fazer"— não pedem a tal preposição "a", ou seja, não se diz "Eu amo a você", "Eu adoro a você", "Deus fez a você". O que se diz é "Eu amo você", "Eu adoro você", "Deus fez você". E, se não existe preposição, nada de "lhe", no chamado padrão culto da língua.

O QUE É QUE SE DEVE DIZER ENTÃO?

"Eu a amo", "Eu a adoro", "Deus a fez". Agora tente cantar a canção, passando-a para o padrão formal: "Vou amando-a, adorando-a, agradeço a Deus porque a fez". Que tal? Não deu certo, não é?

Pois é aí que reside o xis do problema. É necessário entender que há o padrão coloquial —o da fala livre, espontânea, que varia de região para região—, e há o chamado padrão culto, formal, que tem regras fixas e não leva em conta regionalismos, hábitos locais, familiares. Esse padrão culto é absolutamente obrigatório na escrita formal.

OS PRONOMES "O/ A" PASSAM A "LO/ LA" quando colocados depois de formas verbais terminadas em "r". A forma verbal perde o "r": "Quero ver você"; "Quero vê-lo/ a".

Num país imenso como o Brasil, é bobagem imaginar que um dia todos falarão do mesmo jeito, respeitando as mesmas regras e estruturas. Em várias regiões do Brasil, o uso do "lhe" com qualquer tipo de verbo é mais do que consagrado, está mais do que arraigado. Faz parte do jeito natural de se expressar.

Mas, em termos de língua padrão, não custa repetir: o "lhe" só cabe com verbos que pedem a bendita preposição "a". Para a língua culta, a canção interpretada por Beth Carvalho está errada. Se você fizer uma prova de português em um concurso, em um vestibular, deverá dizer que frases como as da viúva Porcina ou as da canção de Beth são erradas no padrão culto.

É POSSÍVEL EXTORQUIR ALGUÉM?

A imprensa tem publicado frases como "o policial extorquiu o gerente", ou "os seqüestradores extorquiram a família". "Extorquir" significa "obter por violência, ameaças". Então é óbvio que só é possível extorquir algo de alguém, e não extorquir alguém. Deve-se dizer "O policial extorquiu dinheiro do gerente", "Os seqüestradores extorquiram jóias e outros bens da família".

Moral da história: uma frase como "Quem é você? Não lhe conheço, nunca lhe vi antes", naturalíssima para milhões de brasileiros, é gramaticalmente errada. Você sabe como dizer a mesma coisa em linguagem culta? No português formal, seria "Quem é você? Não o(a) conheço, nunca o(a) vi antes".

exercício 3

1- Qual(is) da(s) frase(s) a seguir está(ão) correta(s) de acordo com a gramática normativa?

a) Vou lhe amando, vou lhe adorando.
Agradeço a Deus porque lhe fez.

b) Vou te amando, vou te adorando.
Agradeço a Deus porque te fez.

c) Se não chegar a tempo, vou perder o vôo para Marte. Não posso esperá-lo.

d) Se não chegar a tempo, vou perder o vôo para Marte. Não posso lhe esperar.

e) Se não chegar a tempo, vou perder o vôo para Marte. Não posso esperar você.

f) Posso lhe perguntar como encontro o caminho de volta?

g) Posso perguntá-lo como encontro o caminho de volta?

h) Posso perguntar a você como encontro o caminho de volta?

i) Posso procurá-lo sempre que vier aqui?

j) Posso procurar você sempre que vier aqui?

l) Posso lhe procurar sempre que vier aqui?

m) Eu gostaria de poder abraçar você.

n) Eu gostaria de poder abraçar-lhe.

o) Eu gostaria de poder abraçá-lo.

2- Reescreva as frases de acordo com o modelo:

Exemplo: Trouxeram alguns chocolates para eu comer.
Vou comê-los.

a) Apresentaram algumas sugestões para eu estudar.

____

b) Mandaram vários livros para eu arquivar.

____

c) Recomendaram duas alternativas para eu analisar.

____

d) Insistiram em que eu examinasse essas possibilidades.

____

Onde está você?

Emprego de "onde" e "aonde"

Vamos trocar duas palavras sobre uma verdadeira praga: a palavra "onde". Esse termo está assumindo todos os significados possíveis e imagináveis. Vale tudo: da óbvia idéia de lugar a todas as outras que a criatividade das pessoas consegue produzir.

QUAL O SIGNIFICADO DE "ONDE"?

Uma simples consulta a um bom dicionário é suficiente para constatar que "onde" indica, basicamente, idéia de lugar, lugar físico, lugar em que. Frases como "Onde você comprou a roupa?", "Onde você nasceu?", "Falta luz na rua onde moro", "Conheço a cidade onde você nasceu" são absolutamente corretas e usadas no dia-a-dia com naturalidade.

ENTÃO, QUAL É O PROBLEMA?

Os problemas começam quando a bendita palavra "onde" passa a ser usada como uma espécie de cola-tudo, como nesta frase: "O pacote fiscal reduz o poder de compra da classe média, onde as vendas em dezembro devem diminuir sensivelmente".

Que tal? Que relação existe entre a redução do poder de compra da classe média e a queda nas vendas? A relação é mais do que evidente: causa e efeito. A redução do poder de compra é causa; a queda nas vendas é conseqüência. Será que a expressão adequada para estabelecer essa relação é "onde"? Claro que não! As opções são muitas: "por isso", "conseqüentemente", "em conseqüência disso", "portanto", "logo", "razão pela qual" etc.

Por ironia, nenhuma das possibilidades consideradas corretas é a preferida. As pessoas gostam mesmo de usar o danado do "onde". Jornalistas, políticos, economistas, esportistas e o público em geral –certamente influenciado pelo exemplo– consagram o modismo. Ouvi de um atleta: "Não me alimentei bem ontem, dormi mal esta noite, onde hoje não consegui um bom desempenho".

Na frase do atleta, também se observa a relação causa/efeito. A palavra "onde" é completamente descabida. Aliás, "onde" já virou até sinônimo de "cujo": "É um veículo moderno, onde o motor tem baixíssima taxa de emissão de poluentes". Nada disso. O veículo tem motor, o motor é dele, veículo, portanto existe uma relação de posse, que deve ser estabelecida pelo pronome "cujo": "É um veículo moderno, cujo motor...".

CUJO

É pronome relativo, ou seja, retoma um termo da oração anterior. Indica relação de posse: "Comprei o livro do escritor cujos poemas você tanto admira". Outros pronomes relativos:

O qual	"Este é o livro ao qual me referi ontem."
Que	"Este é o livro que você me deu."
Quem	"Este é o poeta de quem lhe falei."

Uma dica importante: Nunca use artigo depois de "cujo". Não diga "aquela mulher cujo o filho", e sim "cujo filho".

Outra coisa esquisita que também já virou moda é "onde que": "A defesa esteve mal, onde que o adversário se aproveitou para criar muitas situações de perigo". Nem pensar. Uma das possíveis soluções seria "A defesa esteve mal, e o adversário se aproveitou disso para criar muitas situações de perigo".

Também se vê "onde" para estabelecer relação temporal. Até Chico Buarque caiu na esparrela, na memorável "Todo Sentimento", que tem letra de Chico e música de Cristóvão Bastos: "...tempo da delicadeza, onde não diremos nada...". "Tempo" é tempo, "onde" é lugar. Caberia a palavra "quando", ou a expressão "em que", talvez pouco adequadas à frase musical.

QUAL A DIFERENÇA ENTRE "ONDE" E "AONDE"?

Essa questão também causa muita discussão. A solução é bem simples. "Aonde" é a fusão de "a" com "onde". Esse "a" é preposição e indica basicamente idéia de movimento, destino. Portanto só se deve usar "aonde" com verbos que indicam essa idéia. E são poucos, como "ir", "chegar", "dirigir-se", "levar": "Aonde você quer chegar?", "Aonde você pretende levá-la?", "Aonde ela foi?", "Aonde ele se dirigia naquele momento?".

AONDE X ONDE

O estabelecimento dessa diferença de significado entre "onde" e "aonde" tem sido uma tendência do português moderno. Na língua clássica, ela não existia; ainda hoje, é comum encontrar-se emprego indiferente de uma ou outra forma. Para satisfazer os padrões da língua culta, procure observar essa diferença.

Você certamente conhece uma canção interpretada pelo grupo Cidade Negra, cuja letra diz: "Aonde está você? Aonde você mora? Aonde você foi morar?". No padrão culto, as três frases exigem "onde", já que "estar" e "morar" não indicam movimento. Você não diz "estar a algum lugar", "nem morar a algum lugar". Se você "está em" e "mora em", o que se usa é "onde", e não "aonde".

Na fala, é absolutamente impossível controlar a diferença entre "onde" e "aonde". Se você é daqueles que se preocupam com a correção até na língua do dia-a-dia, é bom lembrar que, em termos de língua culta, as situações em que é necessário o emprego de "onde" são mais freqüentes do que aquelas em que é preciso usar "aonde".

Mesmo em escritores renomados se vê o emprego de "onde" e "aonde" sem obediência ao critério estabelecido pela língua culta moderna. Bandeira, num célebre poema pré-concretista, valeu-se do jogo onde/onda/aonde ("Aonde anda a onda?").

Para a língua padrão, porém, a diferença deve ser respeitada. Se você fizer uma prova, um concurso público, um vestibular, deve seguir essas orientações.

"ONDE ESTÁS"

Isso também ocorre nestes trechos de autores consagrados, citados no dicionário "Aurélio":
"Nise? Nise? onde estás? aonde? aonde?" (Cláudio Manuel da Costa, Obras Poéticas, I, p.109); "Mas aonde te vais agora, / Onde vais, esposo meu?" (Machado de Assis, Poesias Completas, p.207).

exercício 4

1- Qual(is) da(s) frase(s) a seguir está(ão) correta(s) de acordo com a gramática normativa?

a) Vivemos numa época onde as pessoas...
b) Vivemos numa época em que as pessoas...
c) Vivemos numa época quando as pessoas...

d) Ir onde? Ir a algum lugar.
e) Ir aonde? Ir a algum lugar.

f) Chegar aonde? Chegar a algum lugar.
g) Chegar onde? Chegar a algum lugar.

h) Levar onde? Levar a algum lugar.
i) Levar aonde? Levar a algum lugar.

2- Preencha as frases abaixo utilizando "onde" ou "aonde":

a) A rua ________ moro é longa.
b) A cidade ________ nasci é pequena.
c) ________ você vai?
d) A escola ________ estudo é rígida.
e) ________querem chegar com esse discurso?
f) ________ devo dirigir-me?
g) ________ você vai morar?
h) Discrimine os locais ________ podemos estacionar os veículos.
i) Não sei ________ começar a busca.
j) Não sei ________ ir.
l) ________ você está?

3- Assinale a(s) frase(s) correta(s). Na(s) que você considerar incorreta(s), aponte a alteração necessária.

a) Apresentou um contrato onde as cláusulas são obscuras.

____

____

____

b) Ao voltarmos da praia, enfrentamos um enorme congestionamento onde precisamos desviar para não perder tempo.

____

____

____

c) Se ele não indicar o local preciso onde o tesouro foi escondido, iremos perder muito tempo na busca.

____

____

____

"A número um"

Numerais: ordinais, cardinais, fracionários, multiplicativos

Você certamente já viu uma propaganda da Brahma, em que aparece o número 1 espichando-se e transformando-se em "huuuum", ou "hummmm", não lembro bem. Pois é aí que mora o perigo.

É "UM" OU "HUM"?

Se valer o que se escreve nos milhares de cheques emitidos diariamente no país, é "hum". Se valer o que está em todos os dicionários da língua portuguesa, é "um". A confusão decorre exatamente do preenchimento dos cheques. Dizem os mais precavidos que, se não se colocar o "h" antes de "um", corre-se o risco de que algum esperto puxe a perninha do "u" e acabe surgindo a forma "cem".

E quem preenche o cheque à máquina? Será que também corre o risco de que um espertinho puxe a perna do "u"? Na máquina? De que jeito?

Em português, o numeral é "um", e não "hum", e fim de papo. "Hum" é interjeição. Não se assuste. Interjeição é palavra ou expressão que se usa para expressar uma reação (dor, alegria etc.), como "Caramba!", "Ai!", "Cuidado!" etc.

NUMERAL

Classe de palavras que denota um número exato de coisas, seres ou conceitos ou indica a posição que ocupam em uma determinada ordem.

ORDINAL

Numeral que indica a ordem que o ser ocupa numa série (primeiro, segundo, centésimo, milésimo etc.).

FRACIONÁRIOS

Indicam a diminuição proporcional de quantidade, o seu fracionamento (metade, um terço, um décimo etc.).

MULTIPLICATIVOS

Exprimem aumentos proprocionais de quantidade, indicando números que são múltiplos de outros (dobro, triplo, quádruplo etc.).

CARDINAL

Numeral que nomeia o número de seres (um, dois, cem, mil etc.).

O pessoal que fez a propaganda da Brahma pode alegar que a cerveja dá água na boca e que por isso o "hum" faz sentido. Tá bom, agora contem a do papagaio. Se o bordão da cervejaria é justamente "A número um", é um pouco forçado querer que se entenda o "um" como interjeição, especialmente quando se leva em conta o aspecto visual (o algarismo 1 que se transforma em "hum") e o problema da confusão que todos fazem no Brasil a respeito.

Em anúncios de empresas que colocam alguns de seus bens à venda, já vi algo assim: "1 (hum) veículo...". A moda pega!

E QUAL É A FORMA CORRETA: "UM MIL REAIS" OU "HUM MIL REAIS"?

R$ 1.000,00

Agora, segure-se na cadeira. No fundo, estamos discutindo sobre o nada. Sabe por quê? Porque o extenso de R$ 1.000,00 não é nem "um mil reais", nem "hum mil reais". É "mil reais".

Atenção, bancários: nada de devolver cheques "por erro no preenchimento", quando alguém escreve "mil reais" ou "mil e duzentos reais".

Certa vez, preenchi um cheque sem o bendito "um" (muito menos o horroroso "hum"). Já faz algum tempo. Foi antes do real—nem lembro qual era a moeda que estava em circulação. A funcionária da loja não queria aceitar o cheque. Tentei explicar. Nada! A moça não queria conversa. Perguntei-lhe se ela dizia "mil latas de óleo" ou "um mil latas de óleo". "Mil latas", disse ela. "Pronto!", disse eu. "Mil latas", "mil cruzados" (ou cruzeiros, não lembro). Foi inútil. A moça disse que "lata de óleo é uma coisa, dinheiro é outra".

OS DOIS MILHÕES DE MULHERES

Você diz "dois dúzias de ovos?" Claro que não. O numeral ("duas") concorda com a palavra "dúzias", feminina, e não com "ovos". Por isso você diz "duas dúzias de ovos". Aplique exatamente o mesmo processo no que diz respeito a "milhão", palavra ultramasculina: "um milhão de pessoas", "dois milhões de pessoas". Não diga "as duas milhões de pessoas".

Quase conformado em ter de fazer outro cheque, tive a idéia luminosa: "Abra a gaveta e apanhe uma nota de mil", pedi, esperançoso. "Por quê?", perguntou a moça. A cédula já tinha recebido um carimbo que lhe indicava o novo valor, numa daquelas tantas conversões de mil por um. "Pois bem", disse eu, "vamos jogar fora todas essas notas, que não valem absolutamente nada".

A moça só ficou calma quando viu que na cédula de mil estava escrito "mil cruzeiros" (ou cruzados). "Esta nota é falsa?", perguntei. "Claro que não", disse ela. "Então meu cheque é perfeito", disse eu. À pobre moça não restou outra coisa a não ser resignar-se e aceitar o bendito cheque.

Cardinais	Ordinais
um	primeiro
dois	segundo
três	terceiro
quatro	quarto
cinco	quinto
seis	sexto
sete	sétimo
oito	oitavo
nove	nono
dez	décimo
onze	décimo primeiro, undécimo ou onzeno
doze	décimo segundo ou duodécimo
treze	décimo terceiro, tredécimo, tércio-décimo, ou trezeno

Cardinais	Ordinais
catorze ou quatorze	décimo quarto
quinze	décimo quinto
dezesseis	décimo sexto
dezessete	décimo sétimo
dezoito	décimo oitavo
dezenove	décimo nono
vinte	vigésimo
trinta	trigésimo
quarenta	quadragésimo
cinqüenta	qüinquagésimo
sessenta	sexagésimo
setenta	septuagésimo ou setuagésimo
oitenta	octogésimo
noventa	nonagésimo
cem	centésimo
duzentos	ducentésimo
trezentos	trecentésimo ou tricentésimo

Cardinais	Ordinais
quatrocentos	quadringentésimo
quinhentos	qüingentésimo
seiscentos	sexcentésimo ou seiscentésimo
setecentos	septingentésimo ou setingentésimo
oitocentos	octingentésimo
novecentos	nongentésimo ou noningentésimo
mil	milésimo
dois mil	segundo milésimo
milhão	milionésimo
bilhão	bilionésimo

Repito: o numeral é "um", sem "h". E o extenso é "mil", e não "um mil": "mil reais", "mil e quinhentos reais". No cheque, tudo bem. Até vale a precaução, o cuidado, sobretudo em cheques preenchidos à mão. Mas, em outras situações, nem pensar: "um", "um" e "um". Mil vezes "um".

POR FALAR EM NÚMEROS, QUAL O EXTENSO DE 50? DE 14? E DE 600?

Não custa lembrar que o extenso de 50 é "cinqüenta". Não existe "cincoenta". O de 14 pode ser "catorze" ou "quatorze". E o de 600 é "seiscentos", com "sc".

CERCA DE 342 PESSOAS

Não é raro encontrarmos na imprensa construções como esta: "Estavam na conferência cerca de 342 pessoas". Pura bobagem! A expressão "cerca de" indica idéia de arredondamento, portanto não combina com número tão preciso. Faz sentido dizer "Cerca de 300 (ou qualquer número redondo) pessoas estavam na conferência". Quando se sabe o número exato, dispensa-se o "cerca de".

exercício 5

1- Oito pessoas vão entrar num elevador do mais alto edifício do mundo. O prédio fica na Malásia. As pessoas têm a obrigação de indicar ao ascensorista (que é brasileiro) o andar a que se dirigem. O que dirá cada uma delas, quando se sabe que os cardinais desses andares são:

a) 37 ____________________

b) 14 ____________________

c) 22 ____________________

d) 78 ____________________

e) 89 ____________________

f) 117 ____________________

g) 211 ____________________

h) 254 ____________________

2- Complete o quadro a seguir com os numerais multiplicativos escritos por extenso:

Cardinal	Multiplicativo
a) Dois	
b) Três	
c) Quatro	
d) Cinco	
e) Seis	
f) Sete	
g) Oito	
h) Nove	
i) Dez	
j) Onze	
l) Doze	
m) Cem	

3- Assinale "v" para as alternativas verdadeiras e "f" para as falsas:

a) (   ) "Ambos/ambas" são considerados numerais. Significam "um e outro", "os dois" (ou "uma e outra", as "duas") e são largamente utilizados para retomar pares de seres anteriormente citados.

b) (   ) Não é possível utilizar as formas enfáticas "ambos os dois", "ambos a dois", "ambos de dois", "a ambos dois".

c) (   ) "Um" é numeral cardinal quando realmente indica quantidade exata. Nesse caso, seu plural é "dois": "Um cão é suficiente para proteger a casa".

d) (   ) "Um" é artigo indefinido quando indica um ser indeterminado. Nesse caso, seu plural é "uns" ou "alguns": "Precisamos de um cão para proteger a casa".

4- Você vai preencher um cheque de R$ 1.000,00. Como você escreve esse número por extenso?

____

Em língua também existe moda

Muletas lingüísticas e problemas gerais da língua culta

A moda não existe só na roupa, nos sapatos, no cabelo. A cada ano, uma praia entra na moda, um restaurante, um tipo de música, uma casa de espetáculos, um bar, uma rua, uma avenida, um bairro. Muitas modas acabam passando, algumas ficam de vez e deixam de ser simplesmente modas e passam a fazer parte da tradição.

Tradição. É aí que está o xis do problema. Em se tratando de língua culta, tradição é fundamental. Não basta um locutor esportivo criar uma expressão para que, da noite para o dia, ela passe a ter respaldo na língua culta. Não é assim que a coisa funciona. É verdade que a língua é viva. No Brasil, mais do que viva, vivíssima. Palavras e expressões surgem diariamente. E cacoetes também. E aí se instala a confusão. Pode? Não pode? Vale? Não vale? É correto?

"EU SOU DE MENOR" OU "EU SOU MENOR"?

É muito comum a expressão "Eu ainda sou de menor". A expressão é simplesmente "menor": "Eu ainda sou menor". É óbvio que isso também vale para "maior": "Ela já é maior". Outra expressão que se deve evitar é "a maior", em casos como "Dinheiro a maior", ou "Valor a maior". Nada disso. Diga "Dinheiro a mais", "Valor maior". E nada de "dinheiro a menor".

O QUE QUER DIZER "A NÍVEL DE"?

Não custa lembrar que trato de fixar para o leitor o que é norma, o que é padrão, o que é considerado língua culta. Pois bem. Está na moda —há um bom tempo— a bendita expressão "a nível de": "A nível de feijão a safra vai bem", disse um figurão da área agrícola. O que significa isso? Qual a importância e a necessidade da expressão "a nível de" nessa frase? Nenhuma. Teria bastado dizer "A safra de feijão vai bem".

Outra pérola: "A nível de repertório o disco é ótimo". Que tal "O repertório do disco é ótimo"? Não quero nem discutir se a expressão "a nível de" é estruturalmente correta ou não. O que importa é que ela se tornou absolutamente insuportável. É o que os lingüistas chamam de muleta. Assim como há quem precise de muletas para andar, há quem precise de determinadas expressões para falar. "A nível de" para cá, "a nível de" para lá, "a nível de" para cima, "a nível de" para baixo, "a nível de" para tudo. Haja paciência!

Vamos combinar uma coisa: de hoje em diante, fulmine essa bendita expressão, elimine-a de sua vida. Fique pelo menos dez anos sem pronunciar esse trambolho, que em 99,99% dos casos é rigorosamente inútil.

"À CUSTA DE" OU "ÀS CUSTAS DE"?

Muita gente diz que alguém vive "às custas do pai". Gramáticos e dicionaristas, no entanto, afirmam que "custa", no plural, tem sentido jurídico específico. São as "despesas feitas com um processo criminal ou cível". "Foi obrigado a pagar as custas do processo". Com outro sentido, a palavra fica no singular: "Ainda vive à custa do pai", "Conseguiu tudo à custa de muito sacrifício".

"NO SENTIDO DE" OU "PARA"?

Quer mais modismos? A expressão "no sentido de". Reparou que não se faz mais nada "para", agora só se faz "no sentido de"? "Estamos trabalhando no sentido de conseguir verbas...". Por que aposentar sumariamente a velha e boa preposição "para"? A resposta talvez seja a falsa sofisticação. É isso mesmo. Ninguém desconhece o papel de persuasão, ou seja, de convencimento que a língua pode exercer. E aí surgem essas falsas demonstrações de erudição, de sofisticação lingüística. E a língua vira um rococó danado. Uma coisa oca, esquisita, superficial, artificial, postiça.

"EM VIA DE" OU "EM VIAS DE"?

Outra expressão que dá trabalho é "em vias de". A expressão não é abonada pelos dicionários e gramáticas. Assim como se diz que a obra está "a caminho", deve-se dizer que a obra "está em via de": "O projeto está em via de ser aprovado", "A obra está em via de ser concluída". É freqüente o uso dessa expressão quando se fala de animal que corre risco de extinção: " O animal está em vi...". Está "em via de extinção", e não "em vias de extinção".

Outra mania —já virou moda— é usar três verbos, algo como "A gente vai estar enviando", ou "A empresa vai estar realizando", ou o absurdo de "Amanhã eu vou estar telefonando para você". Não é muita coisa? Para que tanto verbo? Mas isso já está pegando, se é que já não pegou.

Uma amiga me disse que foi a uma loja de sapatos e saiu de lá tonta, de tanto ouvir a vendedora dizer "Você pode estar experimentando o sapato", "Você vai poder estar pagando em três vezes" e pérolas do gênero. Pelo amor de Deus, fuja desses modismos.

Há uma corrente de lingüistas que dizem que toda fala é boa, que não se deve fazer nenhuma ressalva em relação à fala, à língua oral. Não é bem assim. Mais dia, menos dia, as pessoas começam a usar na escrita essas estruturas rocambolescas trazidas da fala, que tornam o texto desnecessariamente longo, cheio de rebarbas.

Vá direto ao assunto. Não enrole. Não invente. Não use expressões só porque estão na moda, porque alguém as usou na televisão, ou porque parecem sofisticadas. No padrão culto da língua, é preciso tempo, tradição. E razão de ser também.

Isso não significa que você deve empregar a todo momento expressões do português do século XVIII. Não é isso. Não exagere. Tenha bom senso. E fuja dos modismos, dos cacoetes.

"A CORES"," À CORES" OU "EM CORES"?

Alguns médicos escreveram para perguntar sobre o nome de um exame: ecocardiograma com Doppler "a cores", "à cores" ou "em cores"? Gramáticos e dicionaristas têm dado preferência à expressão "em cores", certamente por analogia com a expressão "em preto e branco". De qualquer maneira, se usássemos "a cores", jamais poderíamos colocar acento grave (indicador de crase) no "a". "À" é o resultado de "a+a". Se "cores" é plural, o artigo não pode estar no singular. Se fosse "a cores", portanto, não haveria crase. Mas é recomendável usar "em cores".

"GROSSO MODO" OU "A GROSSO MODO"?

Trata-se de uma das tantas expressões latinas que se mantêm como no original: "grosso modo". O que significa isso? "Sem grande precisão", "de modo grosseiro, impreciso", "aproximadamente". Por razões perfeitamente compreensíveis, muita gente aportuguesa a expressão e acaba-a usando com um "a" ("a grosso modo"). Não há quem a abone assim.

exercício 6

1- Assinale as frases corretas:

a) Você está a par da questão?

b) Você está ao par da questão?

c) As moedas fortes mantêm o câmbio praticamente ao par.

d) As moedas fortes mantêm o câmbio praticamente a par.

e) O time perdeu de 2 x 0.

f) O time perdeu em 2 x 0.

g) O time perdeu por 2 x 0.

h) A sua TV é em cores?

i) A sua TV é a cores?

2- Complete as frases a seguir utilizando a forma apropriada entre as fornecidas nos parênteses:

a) Ela é muito inteligente, ______ não é muito aplicada. (mas/ mais)

b) A irmã, que não é tão inteligente, é muito ________ esforçada. (mas/ mais)

c) Maria José sofre de um ________ sem cura. (mal/ mau)

d) Eu só posso acreditar que Fábio é muito _______ -caráter. (mal/ mau)

e) Normalmente a opinião de Samuel vai ____________________ minha . (ao encontro da/ de encontro à)

f) A opinião dos leitores veio ____________________ aspirações do senador. (ao encontro das/ de encontro às)

g) Eu saí da Bahia ________ 8 anos. (a / há)

h) O lançamento foi marcado para dali ____________________ dois meses. (a cerca de/ há cerca de)

i) Ela se mostrou muito interessada ____________ de se aproveitar da situação. (afim/ a fim)

j) Não apresentou nem sequer uma tese ______________ . (afim/ a fim)

l) Preciso ___________ leite. (demais/ de mais)

m) Preciso ___________ de leite. (demais/ de mais)

n) ____________ puder chegar em tempo, avise-me. (senão/ se não)

o) É bom que ela tome consciência da situação, ____________ não teremos como ajudá-la! (senão/ se não)

p) ______________________________ se conheciam, percebiam que não tinham sido feitos um para o outro. (na medida em que/ à medida que)

"A falta favorece ao Vasco"

O emprego da preposição "a"

Dia desses, elogiei o locutor Galvão Bueno, da TV Globo, por ter feito uma importante autocorreção em público. Galvão disse que um certo piloto tinha sido "penalizado". Depois parou e, corrigindo-se, disse: "Não. A palavra certa é punido". É isso mesmo. A palavra é "punido". "Penalizar" é "causar pena". "Punir" é "castigar", "aplicar punição". O sentido de "punir", para "penalizar", só agora começa a ser registrado nos dicionários.

Pois bem. Muita gente me criticou pelo elogio, dizendo que, apesar da autocorreção de Galvão, a maioria dos locutores esportivos precisa mesmo é de um bom puxão de orelhas. A quantidade de coisas esquisitas que gostam de dizer é significativa.

"FALAMOS DESDE O MARACANÃ"

O pessoal do esporte adora inventar. É muito comum o locutor abrir a transmissão com uma velha frase: "Falamos desde o Maracanã." Haja fôlego! Quem fala "desde" o Maracanã passa por lá, começa a falar e não pára mais. Que pulmões! Isso é o que se chama de "espanholismo". Em espanhol, a palavra "desde" tem esse significado. Em português, é bom continuar falando "do" Maracanã.

Uma das manias mais duras de engolir é a de colocar a preposição "a" depois de qualquer verbo. O pobre "favorecer", transitivo diretíssimo (Calma!, já explico o que é isso), costuma virar indireto na boca de vários desses profissionais.

TETRACAMPEÃO

Certa vez, ao marcar um gol, Bebeto correu e exibiu uma das mãos com quatro dedos esticados. "Sou tetra", gritava Bebeto. Não é. "Tetra" vem do grego e significa "quatro". Bebeto só ganhou uma Copa, a de 94.

O QUE É UM VERBO TRANSITIVO DIRETO?

Para quem já se esqueceu da aula sobre transitividade verbal, lá vai: um verbo é transitivo direto quando seu complemento se liga a ele sem preposição. É o caso de "comprar" (comprar algo), "ver" (ver algo/ver alguém), "beijar" (beijar alguém), "amar" (amar alguém), "decidir" (decidir algo), "atacar" (atacar algo/atacar alguém) etc.

E TRANSITIVO INDIRETO?

É bom lembrar que existem também os transitivos indiretos, aqueles cujos complementos se ligam por meio de preposição. É o caso de "confiar" (confiar em algo/confiar em alguém), "gostar" (gostar de algo/gostar de alguém), "pertencer" (pertencer a algo/pertencer a alguém), "apaixonar-se" (apaixonar-se por algo/apaixonar-se por alguém), "concordar" (concordar com algo/concordar com alguém) etc.

VOCÊ NOTOU QUE AS PREPOSIÇÕES CITADAS ("EM", "DE", "A", "POR", "COM") SÃO OBRIGATÓRIAS COM ESSES VERBOS?

Ninguém diria "Concordo você", "Gosto sua prima", "O livro pertence você", "Eu me apaixonei a diretora", "Ninguém confia você".

As pessoas bebem copos, sabia disso? Se você diz "o copo que eu bebi", você bebeu o copo. É mais provável que você tenha bebido em um copo. Portanto diga "o copo em que eu bebi".

Preposição não se come. E também não se inventa. Não existe preposição com os verbos "driblar", "favorecer", "atingir", "agredir", muito usados pelos locutores esportivos. Um jogador dribla outro. A falta favorece uma das equipes. Um defensor atinge um atacante. Um jogador agride outro. Note que não há preposição. "Eu driblo você", "eu favoreço você", "eu atinjo você", "eu agrido você".

NOTOU?

Não se coloca a preposição "a" depois desses verbos. Ninguém teria coragem de dizer "Eu driblo a você", "Eu favoreço a você", "Eu atinjo a você", "Eu agrido a você".

Eu disse que ninguém teria coragem? Enganei-me. São supercomuns em transmissões esportivas frases como "A falta favorece ao Vasco", "O atacante driblou ao zagueiro", "O zagueiro agrediu ao atacante", "O jogador atingiu ao adversário".

"A" – PREPOSIÇÃO, ARTIGO E PRONOME

Cuidado para não confundir a preposição "a" com o artigo "a" e com o pronome "a". A preposição é invariável; o artigo e o pronome se flexionam de acordo com o termo a que se referem. Veja os exemplos a seguir: "Não dou atenção a fofocas" (preposição —note que não se estabelece concordância com o substantivo feminino plural "fofocas"). "As fofocas dessas pessoas, ignoro-as" (artigo definido e pronome —estabelecem concordância com o substantivo feminino plural fofocas).

Posso pedir um presente aos colegas da imprensa esportiva? Parem de usar isso. Parem, pelo amor dos meus filhinhos! Isso é rococó, é rebarbativo. O pior é que as pessoas que ouvem acham que é correto, sofisticado, e passam, nos textos formais, a escrever desse jeito.

Um leitor me escreveu e pediu explicações a respeito de "Amar a Deus sobre todas as coisas".

"POR QUE A PREPOSIÇÃO 'A', SE EU POSSO DIZER QUE AMO VOCÊ, QUE AMO ALGUÉM?"

É simples. Em determinados casos, é possível usar a preposição, mesmo que o verbo não a peça.

É o caso das situações em que se quer realçar, enfatizar o complemento do verbo, como ocorre com Deus, que realmente merece destaque, ênfase. Por isso é possível dizer "Amar a Deus".

A preposição enfatiza, realça. É claro que também seria possível não usar a preposição ("Amar Deus sobre todas as coisas").

Alguém vai perguntar: "Então o pessoal do esporte não está certo? Eles usam a preposição para realçar, destacar". Nada disso. Destacar Deus ou uma pessoa muito particular, especial, é uma coisa. Usar a preposição "a" o tempo todo, "destacando" tudo é outra. Será que tudo é tão importante assim que mereça tamanha carga enfática?

Não imite essas construções. Nada de frescura. Nada de inventar a preposição.

LOCUÇÕES PREPOSITIVAS

Conjuntos de duas ou mais palavras que têm o valor de uma preposição são chamados de locuções prepositivas. A última palavra dessas locuções é sempre uma preposição. Alguns exemplos:

abaixo de	a respeito de	em redor de
à beira de	de acordo com	graças a
acerca de	dentro de	junto a
acima de	devido a	junto de
à custa de	diante de	perto de
à espera de	embaixo de	por causa de
ao lado de	em cima de	por cima de
à procura de	em frente a	por trás de

exercício 7

1- Qual(is) da(s) frase(s) a seguir está(ão) correta(s) de acordo com a gramática normativa?

a) Ontem à noite, fui ao cinema. Esse é o programa que eu mais gosto.

b) Ontem à noite, fui ao cinema. Esse é o programa de que eu mais gosto.

c) A abstinência é um sacrifício a que não dou a menor importância.

d) A abstinência é um sacrifício que não dou a menor importância.

e) A minha mãe é a única pessoa em quem confio.

f) A minha mãe é a única pessoa que confio.

g) Aquela é a rua que moro.

h) Aquela é a rua em que moro.

2- Complete as frases abaixo com "aos", "ao", "de", ou "com":

a) Obedeço _____ princípios do partido.

b) Continuo obediente _____ princípios do partido.

c) É uma pessoa _____ valor.

d) Tive de agir _____ cautela.

e) _____ chegar, fui recebido pelo mestre de cerimônias.

3- Identifique as preposições nas frases a seguir:

a) Trazia a alma nas mãos.

b) Como não reagir ante tamanha brutalidade?

c) Sob certos aspectos, ele não deixa de ter razão.

d) Sobre o anoitecer, chegamos à Chapada Diamantina.

e) Não desejava cair em desgraça perante a sociedade.

f) Todas as evidências depunham contra ele.

g) Ficamos conversando até o cair da noite.

h) Irei encontrá-la após o almoço.

i) Ele está cercado de problemas por todos os lados.

j) É preciso saber se entregar para poder amar.

l) Todos se manifestaram contra a proposta de paz no Oriente Médio.

m) Ele se apresentou com certa timidez.

n) Desde então ela passou a atuar com mais cautela.

o) Em briga de marido e mulher, ninguém mete a colher.

p) "Para vigias em ronda, café".

q) Quando ela recebeu o cartão de Cao, ficou emocionada.

"Hoje quem paga sou eu"

Alguns casos de concordância verbal: não sou eu que/quem...

JÁ OUVIU ISSO?

Claro que sim. Pare para pensar na concordância verbal. Há dois verbos: "paga" e "sou". "Paga" está na terceira pessoa do singular e concorda com o pronome "quem"; "sou" está na primeira do singular e concorda com o pronome "eu". Alguém acha estranha a frase? Leia-a novamente: "Hoje quem paga sou eu". Algo estranho? Nada. Tudo normal.

VERBO PAGAR	VERBO SER
PRESENTE DO INDICATIVO	
eu pago	eu sou
tu pagas	tu és
ele paga	ele é
nós pagamos	nós somos
vós pagais	vós sois
eles pagam	eles são

"ÚLTIMA FORMA"

"E graças a Deus não vai ser eu quem vai mudar", diz um trecho da belíssima música "Última Forma", de Baden Powell e Paulo César Pinheiro. Não vai ser eu? Eu não vai ser? É claro que não!
O grande poeta Paulo César Pinheiro, autor da letra, deve ter-se deixado levar pela presença do pronome "quem", com o qual concorda o segundo "vai". O primeiro "vai" deveria ter sido substituído por "vou", já que seu sujeito é o pronome "eu". Vamos corrigir: "Não vou ser eu quem vai mudar". Essa música foi gravada pelo MPB-4 e pela cantora Márcia, que não perceberam o problema e mantiveram o desvio de concordância.

Agora, experimente inverter a ordem: "Hoje sou eu quem paga". Pronto! Já ficou esquisito. Por quê? Talvez pela falta de hábito, talvez porque se queira fazer valer o verdadeiro executor do processo expresso pelo verbo "pagar", ou seja, aquele que efetivamente paga —eu, no caso—, a concordância que mais se ouve, nesse tipo de frase e nessa ordem, é "Hoje sou eu quem pago". Isso não está errado, segundo a maioria das boas gramáticas, mas é mais comum na fala e em textos poéticos, literários, em que muitas vezes prevalecem outros fatores na escolha da concordância. Em termos puramente racionais, a história é outra.

QUAL É A REGRA, AFINAL? QUAL É O MECANISMO, A EXPLICAÇÃO?

É simples. O pronome "quem" é de terceira pessoa. Basta verificar como se conjugam os verbos nas perguntas simples, como em "Quem fez?", "Quem foi?", "Quem falou?", "Quem perguntou?", "Quem conseguiu?". Notou? Os verbos foram conjugados na terceira pessoa do singular. E ninguém faz careta, ninguém reclama, nem poderia reclamar. A concordância é mais do que natural.

"QUEM"

Refere-se a pessoa ou a algo personificado: "Este autor, a quem admiro pela obra, é o que melhor traduz os sentimentos humanos". "Este é meu filho Pedro, a quem mais amo no mundo".

Mas basta dizer "Não foram eles quem sujou a parede" para que olhos e ouvidos fiquem intrigados. Inverta, ou melhor, "desinverta": "Quem sujou a parede não foram eles". O verbo "sujar" concorda com o pronome "quem" ("Quem sujou?"), e o verbo "ser" concorda com "eles" ("Foram eles"). Pode-se dizer o mesmo em relação a "Quem paga somos nós", que é correta e ninguém acha estranha. Mas, quando se diz "Somos nós quem paga", narizes se torcem. Nada disso, a frase é mais do que correta.

Moral da história: na bela e inesquecível "Detalhes", Roberto e Erasmo acertam em cheio na concordância quando dizem "Mas na moldura não sou eu quem lhe sorri". "Sou" concorda com "eu"; "sorri" concorda com "quem".

Pode-se fazer a mesma afirmação em relação a outra obra-prima da canção popular deste país, a bela "Timoneiro", música de Paulinho da Viola, letra de Hermínio Bello de Carvalho. Diz Hermínio: "Não sou eu quem me navega, quem me navega é o mar". Ora, "sou" concorda com "eu", e "navega" concorda com "quem".

"QUEM ME NAVEGA?"

Se alguém fizesse essa pergunta, poderia tranqüilamente receber a seguinte resposta: "Não sou eu. É o mar". Então nada de anormal quanto à concordância na frase do poeta Hermínio Bello de Carvalho.

O que vimos até agora só se aplica quando se usa o pronome "quem". Com o "que" a história é outra: "Não fui eu que sujei a parede", "Não foram eles que sujaram a parede", "Hoje sou eu que pago", "Hoje somos nós que pagamos". Você certamente notou que os dois verbos de cada frase fizeram a mesma concordância. Em "Hoje sou eu que pago", tanto "sou" como "pago" estão na primeira pessoa.

QUE

É o pronome relativo mais usado, por isso é chamado relativo universal. Pode ser usado com referência a pessoa ou coisa, no singular ou no plural:
"Aqui está o livro de que lhe falei".
"Aqui estão os livros de que lhe falei".
"Aqui está a chave que você procurava".
"Aqui estão as chaves que você procurava".

POR QUÊ?

Porque o "que" é neutro, ou seja, não tem pessoa gramatical, não é da primeira, nem da segunda, nem da terceira. Então o verbo que vem depois do "que" deve concordar com o pronome que veio antes desse mesmo "que".

A FORMA CORRETA É "NÃO FORAM ELES QUE SUJARAM".

Em "Não fomos nós que sujamos", o verbo que vem depois do "que" ("sujamos") concorda com o pronome que veio antes do "que" ("nós").

Vamos repetir e resumir. Quando se usa "quem", é perfeitamente possível fazer o verbo que o segue ficar na terceira pessoa do singular: "Não seremos nós quem julgará seu comportamento", "Não foram eles quem descobriu o verdadeiro culpado".

E QUANDO SE USA "QUE"?

O verbo seguinte deve concordar com o termo que antecede esse "que": "Não seremos nós que julgaremos seu comportamento", "Não foram eles que descobriram o verdadeiro culpado".

O VERBO "SER" E OS PRONOMES RETOS

É bom lembrar que, nesse tipo de frase, o verbo "ser" deve concordar com o pronome reto que vem a seguir:

Não fui eu que fiz
Não foste tu que fizeste
Não foi ele que fez
Não fomos nós que fizemos
Não fostes vós que fizestes
Não foram eles que fizeram

Os pronomes retos das frases acima são:

	Singular	Plural
Primeira pessoa	eu	nós
Segunda pessoa	tu	vós
Terceira pessoa	ele	eles

exercício 8

1- Qual(is) da(s) frase(s) a seguir está(ão) correta(s) de acordo com a gramática normativa?

a) Foram eles que combinaram o jantar.
b) Foram eles quem combinou o jantar.
c) Foram eles quem combinaram o jantar.

d) Somos nós que sustentamos aquela entidade.
e) Somos nós quem sustenta aquela entidade.
f) Somos nós quem sustentamos aquela entidade.

g) Sou eu que pago.
h) Sou eu quem paga.
i) Sou eu quem pago.

j) És tu que fazes os bordados?
l) És tu quem faz os bordados?
m) És tu quem fazes os bordados?

n) Não fui eu que cortei a grama.
o) Não fui eu quem cortou a grama.
p) Não fui eu quem cortei a grama.

2- Complete as frases a seguir com "que" ou "quem":

a) Não seremos nós ____________ utilizaremos a força.

b) Não seremos nós ____________ utilizará a força.

3- Complete as frases com o verbo indicado entre parênteses no pretérito perfeito:

a) Não _______ eu que... (ser)

b) Não _______ nós que... (ser)

c) Não _______ eles que... (ser)

d) Quem _______ o bolo? (comer)

e) Quem _______ essa sujeira? (fazer)

f) Quem _______ aqui? (estar)

"Ah, esses verbos!"

Os verbos terminados em "ear" e "iar"

Vários leitores me escrevem pedindo explicações sobre a conjugação dos verbos terminados em "ear", como "frear", "pentear", "recear".

A confusão é muito grande. Para começar, é fundamental dizer que em português simplesmente não existem verbos terminados em "eiar". Portanto nem pensar em "freiar", "penteiar", "receiar" etc.

Posto isso, vamos ao que interessa: a conjugação dos verbos terminados em "ear". Um leitor me disse que procurou no "Aurélio" o verbo "balear". Quanto à conjugação, foi convidado a procurar o verbo "frear". Lá foi o leitor: "Recebe um 'i' depois do 'e' nas formas rizotônicas", diz mestre Aurélio. Para muita gente, isso é grego.

Uma forma verbal é rizotônica quando sua vogal tônica está dentro da raiz, do radical. No caso de "falo", do verbo "falar", a sílaba tônica é "fa", que está dentro do radical, que, como você já viu, é "fal". Portanto "falo" é forma rizotônica, porque sua vogal tônica está dentro do radical.

E "falamos", do mesmo verbo "falar"? Qual é a sílaba tônica? É a do meio ("la"). A separação silábica é "fa-la-mos". Qual é mesmo o radical do verbo "falar"? É "fal". A vogal tônica de "falamos" está fora do radical, portanto essa forma é arrizotônica.

Qual era mesmo o nosso papo? Era a conjugação do verbo "frear", que, segundo o "Aurélio", "recebe um 'i' nas formas rizotônicas". De novo, vamos traduzir. Qual é o radical de "frear"? É só eliminar as duas últimas letras ("ar"). O radical é "fre". Serão rizotônicas as formas cuja vogal tônica seja exatamente esse "e" de "fre". Vamos conjugar: "eu freio, tu freias, ele freia, nós freamos, vós freais, eles freiam".

POR QUE NÃO APARECEU O "I" DEPOIS DE "FRE" EM "FREAMOS" E "FREAIS"?

Porque nesses casos a vogal tônica não é mais o "e", e sim o "a": fre-A-mos, fre-Ais. Essas formas são arrizotônicas.

Talvez você ainda esteja achando isso um pouco complicado. Então vamos descomplicar de vez. Para conjugar o presente do indicativo de TODOS, absolutamente TODOS os verbos terminados em "ear", basta adotar as seguintes terminações: "eio, eias, eia, eamos, eais, eiam".

Vamos lá, faça o teste. Que tal o verbo "pentear"? "Eu penteio, tu penteias, ele penteia, nós penteamos, vós penteais, eles penteiam". Isso vale para todos os verbos terminados em "ear". Espero que tenha ficado claro que não existem formas como "frea", "pentea", "passea".

VERBOS TERMINADOS EM "EAR".

Vamos ver como se comportam esses verbos no presente do subjuntivo. Complete a frase com o verbo "frear": "É preciso que você __________ antes da curva".

Acertou quem escreveu "freie". Veja as terminações: "eie, eies, eie, eemos, eeis, eiem". Então deve-se dizer "Ela quer que eu freie", "Quero que vocês freiem", "Ela quer que nós freemos". Gravou? Nada de confusão, nada de "freem", "penteem".

E o pretérito perfeito? Calma! É aquele que a gente aprende na escola simplesmente como "passado". Vamos às terminações: "eei, easte, eou, eamos, eastes, earam". Então deve-se dizer "O carro derrapou porque o motorista freou durante a curva", "Freei bruscamente", "Frearam tarde demais", "Às vezes freamos friamente as emoções".

E O VERBO "MAQUIAR"?
QUAL A FORMA CORRETA: "ELA SE MAQUIA" OU "ELA SE MAQUEIA"?

Muita gente anda dizendo "Ela se maqueia muito mal", "Quando eu mesma me maqueio" etc. Entra em cena o famoso fenômeno lingüístico da contaminação, isto é, as pessoas confundem as terminações das formas dos verbos terminados em "ear" com as dos verbos terminados em "iar".

Os verbos terminados em "iar" são (quase todos) regulares, ou seja, apresentam as terminações consideradas normais. Veja o verbo "anunciar", por exemplo. Como é o presente do indicativo? Muito fácil: "anuncio, anuncias, anuncia, anunciamos, anunciais, anunciam". Percebeu como são as terminações? Absolutamente normais, regulares. Conjugue "denunciar", "reverenciar", "policiar", "noticiar", "adiar". Alguma surpresa? Nenhuma: eu "denuncio", "reverencio", "policio", "noticio", "adio".

Cuidado com uma brincadeira muito popular, feita com o verbo "variar", a famosa história do "Aí vareia". Nada vareia. Uma coisa "varia"; as coisas "variam".

JÁ DESCOBRIU COMO SE CONJUGA O VERBO "MAQUIAR"?

Esse verbo é regular, portanto nada de "maqueia": "Ela se maquia", "Eu me maquio", "Elas se maquiam".

Acabei de afirmar que quase todos os verbos terminados em "iar" são regulares. E quais não são? São cinco, cujas iniciais formam um nome de homem: MARIO. Sabe quais são esses cinco verbos?

Vamos a eles: "mediar", "ansiar", "remediar", "incendiar", "odiar". Imagino que seja mais fácil começar de baixo para cima, ou seja, de "odiar" para "mediar". Por quê? Porque o verbo "odiar" não causa nenhum choque. Como é muito usado, esse verbo é conhecido, e sua conjugação, apesar de irregular, é assimilada sem problemas.

VERBO ODIAR

PRESENTE DO INDICATIVO

eu odeio	nós odiamos
tu odeias	vós odiais
ele odeia	eles odeiam

Não é difícil perceber que esse verbo é irregular. Se o verbo "odiar" fosse regular, você diria "eu odio", "ele odia", "eles odiam". Mas ninguém "odia", nem se diz "eles odiam".

Muito bem. Se esses cinco verbos são irregulares e a conjugação de "odiar" lhes serve de base, lá vamos nós: "eu medeio", "eu anseio", "eu remedeio", "eu incendeio", "eu odeio". Que tal? Estranhou? Paciência, o presente do indicativo desses verbos começa exatamente assim.

Em vez de conjugar verbo por verbo, é melhor mostrar as terminações, que valem para os cinco verbos. Para o presente do indicativo, as terminações são: "eio, eias, eia, iamos, iais, eiam". É claro que você entendeu que essas terminações valem para eu, tu, ele, nós, vós, eles, respectivamente.

Então, sem fazer caretas, veja como ficou o presente do indicativo do verbo "incendiar": "eu incendeio, tu incendeias, ele incendeia, nós incendiamos, vós incendiais, eles incendeiam". Pensando bem, acho que esse verbo também não choca muito. Nem "ansiar" ("eu anseio, ele anseia, eles anseiam").

Os dois verbos que mais surpreendem são "mediar" e "remediar", certamente porque são pouco usados, ou menos usados. "Eu medeio", "ele remedeia", "eles medeiam", "eles remedeiam" são formas que muita gente ouve torcendo o nariz.

A essa lista do glorioso MARIO deve-se acrescentar um verbo —intermediar— conjugado como "mediar", do qual deriva. "A empresa intermedeia esse tipo de negócio" também é frase que deixa muita gente boquiaberta.

Não custa nada verificar as terminações do presente do subjuntivo. Se você já esqueceu como é esse tempo, não se preocupe. Quando se diz "Ele quer que eu participe da reunião", a forma "participe" está no presente do subjuntivo. Lembrou agora como é? "Ela quer que eu vá/faça/diga/sofra/durma/fale/ande" etc. Pois bem, para o presente do subjuntivo, as terminações dos verbos que formam o MARIO são: "eie, eies, eie, iemos, ieis, eiem".

Vamos aos exemplos: "Ela quer que eu incendeie tudo", "Espero que você medeie a discussão", "Faço questão de que eles remedeiem o mal causado", "Será necessário que alguém intermedeie a negociação".

Depois de tudo isso, parece mais do que claro o desfecho da frase abaixo:

"MAIS VALE PREVENIR QUE REMEDIAR. QUEM NÃO PREVINE..." JÁ DESCOBRIU COMO É?

Só pode ser "remedeia".

O verbo "maquiar", que discutimos anteriormente, não pertence ao grupo discutido. Já vimos que esse verbo é regular, conjugado como "adiar", "negociar", "anunciar". O fato de muita gente dizer "Ela se maqueia" talvez decorra de uma confusão quanto à terminação, ou seja, talvez as pessoas imaginem que o verbo seja "maquear". Se fosse "maquear", existiriam as formas "maqueio", "maqueia", "maqueiam". Se fosse, mas não é.

exercício 9

1- Ligue as definições na coluna da esquerda à resposta correta, na coluna da direita.

a) Verbos terminados em "iar".

b) Verbos irregulares.

c) Perder.

d) Vender.

e) Verbos regulares.

f) Verbos terminados em "ear".

(1) Aqueles cuja conjugação sempre obedece a um padrão. O radical (obtido com a eliminação de "ar", "er" ou "ir" do infinitivo) não se altera e as terminações são as consideradas paradigmáticas, ou seja, as regulares.

(2) Todos são conjugados com as mesmas terminações.

(3) Na primeira pessoa do singular do presente do indicativo, apresenta irregularidade bastante comum.

(4) Exemplo de verbo regular terminado em "er".

(5) Não seguem um modelo de conjugação, apresentando alterações em seu radical ou em suas terminações.

(6) Quase todos são regulares.

2- Responda as perguntas a seguir:

a) Você sabe o que significa a palavra "verbo", ao pé da letra?

____

b) Você sabe o que quer dizer "verborragia"?

____

E lá vamos nós

O emprego do particípio

No último texto, conversamos sobre verbos. Por falar em verbos, é bom discutir um capítulo que deixa muita gente em dúvida: o uso do particípio.

Para quem não se lembra, o particípio de "beijar" é "beijado", o de "beber" é "bebido".

E O DE "EXPULSAR"? É "EXPULSADO" OU "EXPULSO"? O DE "SALVAR" É "SALVADO" OU "SALVO"?

Vamos com calma. Há verbos —a maioria— que só oferecem um particípio. Mas existem os que oferecem dois particípios, e aí surge a dúvida: qual usar? Antes de analisar o problema, vamos ver uma pequena lista de verbos que têm dois particípios: "aceitar" ("aceitado" e "aceito"), "expulsar" ("expulsado" e "expulso"), "prender" ("prendido" e "preso"), "salvar" ("salvado" e "salvo"), "entregar" ("entregado" e "entregue"), "eleger" ("elegido" e "eleito"), "soltar" ("soltado" e "solto"), "suspender" ("suspendido" e "suspenso"), "extinguir" ("extinguido" e "extinto") etc.

As formas de particípio terminadas em "ado" ou "ido" são classificadas como regulares; as que terminam em qualquer coisa diferente de "ado" ou "ido" são irregulares.

VERBOS ABUNDANTES

É bom saber que esses verbos que oferecem dois particípios são chamados de abundantes. Também é bom saber que, sempre que um verbo oferece duas formas para um mesmo caso, é chamado de abundante. É o caso de "entupir", por exemplo. No presente do indicativo, pode-se dizer "ele entope" ou "ele entupe", "eles entopem" ou "eles entupem".

As gramáticas dizem que, quando se usa o verbo "ter" ou o verbo "haver", deve-se associar a eles o particípio regular, ou seja, aquele que termina em "ado" ou "ido". Assim, o correto é "Com menos de meia hora de jogo, o árbitro já tinha expulsado três jogadores". Também segundo as gramáticas, o correto é "Ele foi condecorado por ter salvado o menino", "O governo já tinha extinguido o imposto", "Ele nunca havia entregado a mercadoria em ordem", "A Federação já tinha suspendido o jogador várias vezes", "Não foi a primeira vez; o povo já tinha elegido outros aventureiros", "Aquele juiz tem soltado os réus primários", "Você deveria ter aceitado aquela proposta".

E COMO FICA ISSO NA PRÁTICA?

Na prática, a coisa é diferente. Na língua do dia-a-dia, predomina o uso da forma curta, irregular, aquela que não termina em "ado" ou "ido". Essa forma curta é usada na linguagem corrente com qualquer verbo auxiliar ("ter", "haver", "ser", "estar"), ou seja, pouca gente emprega formas como "extinguido", "expulsado", "salvado", "soltado", "elegido" etc.

Bem, na norma culta, a regra é clara: com os auxiliares "ter" e "haver", usa-se o particípio regular (aquele que termina em "ado" ou "ido"); com os auxiliares "ser" e "estar", usa-se o particípio irregular (aquele que não termina em "ado" ou "ido").

E com os verbos que têm apenas um particípio, como "fazer" ("feito"), "escrever" ("escrito"), "abrir" ("aberto"), "estudar" ("estudado"), "esquecer" ("esquecido"), "permitir" ("permitido")? Ora, quando há apenas um particípio, não interessa se ele é regular ou irregular. Não há escolha. Seja qual for o auxiliar, dir-se-á sempre "escrito" ("foi escrito", "tinha escrito"), "aberto" ("tinha aberto", "está aberto"), "feito" ("tenho feito", "está feito").

E QUAL O PARTICÍPIO DOS VERBOS "TRAZER" E "CHEGAR"?

É bom lembrar que o particípio de "trazer" é "trazido" (e não "trago"), portanto deve-se dizer "Ele já tinha trazido os documentos". E o particípio de "chegar" é "chegado". Muita gente anda dizendo "Eu tinha chego no horário". A forma "chego" não é aceita como particípio culto. O que há, no caso, é a influência do processo de redução, de economia, e até o de comparação. Se "salvar" admite "salvo", se "aceitar" admite "aceito", se "expulsar" admite "expulso", por que "chegar" não admite "chego"?

É a velha história. Em língua —na língua culta—, existe uma coisa chamada tradição. E a forma "chego", como particípio, não tem essa tradição.

E QUAL A FORMA CORRETA: "PEGADO" OU "PEGO"?

O caso de "pego" é complicado. Há muito tempo o povo diz "foi pego", "tinha pego", "está pego". É interessante notar que essa forma, "pego", não é usada para todos os sentidos do verbo "pegar". Quando o verbo "pegar" é usado para indicar idéia de fogo, por exemplo, quase ninguém diz "O prédio tinha pego fogo". O que se diz mesmo é "O prédio tinha pegado fogo". Para indicar que o motor do carro começou a funcionar, ninguém diz "O carro já tinha pego". O que se diz é "O carro já tinha pegado".

Para indicar a contração de doenças, nem sempre se ouve "Ele tinha pego uma doença desconhecida". Ouve-se muito "Ele tinha pegado uma doença desconhecida".

Mas, quando se trata de "pegar" como sinônimo de "capturar", "prender", "agarrar", "segurar" etc., o que se ouve é sempre o particípio curto ("pego"): "A polícia tinha pego o ladrão", "Eu tinha pego duas maçãs", "Você poderia ter pego aquela caneta".

E O QUE DIZEM AS GRAMÁTICAS E OS DICIONÁRIOS?

O de Caldas Aulete, que não é editado há quase quatro décadas, mas ainda é muito respeitado, era absolutamente contundente em relação a "pego": "Particípio popular brasileiro de pegar". E a conclusão é bombástica: "Só os incultos empregam este termo".

É claro que em língua não basta apenas a palavra de uma autoridade, sobretudo quando sua obra tem uma certa idade. A língua —todos sabem— é um organismo vivo. O problema é que, como já disse várias vezes, a língua culta requer tradição. No caso de "pego", não há essa tradição. Bons autores modernos, no entanto, têm dado acolhida a essa forma, com a ressalva de que ela deve ser usada com os auxiliares "ser" e "estar".

QUAL A PRONÚNCIA CORRETA, "PÊGO" OU "PÉGO"? ABERTO OU FECHADO?

Há algum tempo surgiu a polêmica quanto à pronúncia de "pego". A dúvida não se refere ao presente do indicativo ("eu pego"), e sim ao particípio ("Ele foi pego").

O "o" de "gorda" é fechado, ou seja, tem timbre fechado (lê-se "gôrda"). Já o de "engorda" tem timbre aberto (lê-se "engórda").

O problema é que o bendito timbre é uma questão mais do que delicada.

VOCÊ DIZ "PÔÇA" OU "PÓÇA"?

Os dicionários indicam que esse "o" é fechado, mas no dia-a-dia nem todos os brasileiros pronunciam esse "o" com o timbre fechado. Na verdade, isso varia de região para região.

Em Pernambuco, por exemplo, ninguém diz "Pêrnambuco", e sim "Pérnambuco". Quem vai ter coragem de dizer que um pernambucano não sabe dizer o nome de seu estado?

De acordo com os dicionários, o "e" de "obeso" é aberto ("obéso"). Também são abertos o "e" de "coeso" ("coéso"), o "o" de "obsoleto" ("obsoléto"), o "o" de "dolo" ("dólo"), e o "e" de "blefe" ("bléfe"). Os dicionários indicam que são fechados o "o" de "algoz" ("algôz"), o "e" de "nesga" ("nêsga") e o "e" de "destro" ("dêstro").

Quanto ao timbre, o caso de "pego" é mais tranqüilo. O "Aurélio" registra essa forma como tipicamente brasileira e reconhece a instabilidade do timbre ("foi pégo/foi pêgo"). Essa posição parece a mais sensata, já que leva em conta o que efetivamente se pratica nas mais diversas regiões do país. No Rio de Janeiro, por exemplo, parece que a preferência absoluta é pelo timbre aberto ("foi pégo"). Em São Paulo, a preferência é pelo timbre fechado ("foi pêgo"). Mas não custa lembrar que "pego" é forma tipicamente brasileira e não encontra registro nos clássicos.

Quanto aos particípios de "ganhar" ("ganhado" e "ganho"), "gastar" ("gastado" e "gasto") e "pagar" ("pagado" e "pago"), há duas opções. Se você quiser seguir a regra, nenhum problema: particípio regular com "ter" e "haver" ("tinha/havia ganhado, tinha/havia gastado, tinha/havia pagado"); particípio irregular com "ser" e "estar" ("foi/está ganho, foi/está gasto, foi/está pago"). A outra opção é usar sempre o particípio irregular ("ganho", "gasto", "pago"), com qualquer auxiliar: "tinha/havia ganho", "tinha/havia gasto", "tinha/ havia pago".

exercício 10

1- Preencha as lacunas com a forma apropriada do particípio verbal. Indique as frases em que podemos usar mais de uma forma.

a) A candidata foi __________ por unanimidade. Todos os que a haviam __________ na fase de pré-seleção votaram nela novamente. (eleger)

b) Ele jamais foi __________ pelos colegas de trabalho. Diziam que na época da ditadura ele tinha __________ a incumbência de agente infiltrado. (aceitar)

c) A prestação já foi __________. Menos mal, porque todo o recurso disponível já foi __________, e não há perspectiva de que outro seja __________. (pagar, gastar,ganhar)

d) Já poderia ter __________ todas as suas dívidas, se não tivesse __________ o dinheiro que tinha __________ com o serviço extra. (pagar, gastar, ganhar)

e) Assim que o representante do Juizado de Menores chegou, fui informada de que a família já havia __________ e já o tinha __________. (chegar/ pegar)

f) Paulo havia __________ a porta. De onde estava, podia ver toda a sala sem ser __________. Dessa forma, pôde certificar-se de tudo o que havia sido __________ e __________ pelo investigador. Ficou muito satisfeito por ter __________. (entreabrir, ver, dizer, escrever, ir)

"Bem dito seja!"

Utilização do hífen

Poucas são as pessoas que nunca precisaram de remédio para combater uma inflamação. E como se chama esse tipo de medicamento?

Vamos por partes. O prefixo que indica idéia de oposição é "anti-". O problema agora é saber como agregar esse prefixo à palavra "inflamatório". E a regra é a seguinte: o prefixo "anti-" só exige hífen quando se junta a palavra iniciada por "h", "r" ou "s". Então "anti-horário", "anti-social", "anti-rábica", por exemplo, escrevem-se com hífen, mas "antimilitar","antiflamenguista", antiterrorista" se escrevem sem hífen.

Nossa dúvida inicial era quanto à grafia de "antiinflamatório". E essa dúvida acaba de ser desfeita. É sem hífen mesmo, ou, como se diz normalmente, "tudo junto".

As pessoas têm uma incrível resistência a essa repetição da vogal. Muita gente nem acredita que é assim mesmo que se escreve. E, como poucas vezes se vê a aplicação da regra do hífen, cria-se na cabeça das pessoas um verdadeiro emaranhado. Ora se vê "anti-americano", ora se vê "antiamericano". Ora "super-atleta", ora "superatleta". Aí, a confusão é inevitável.

ALIÁS, O QUE É UM PREFIXO?

O "Aurélio" diz o seguinte: "Sílaba(s) que antecede(m) a raiz de uma palavra, modificando-lhe o significado e formando palavra nova". Na própria palavra "prefixo" existe um prefixo, o "pre-", que siginifica "posição anterior".
Não estranhe esse tracinho que você viu depois dos dois prefixos que já citei ("anti-" e "pre-"). Isso é comum e serve para indicar que a coisa continua.

PALAVRAS COMPOSTAS

Há muitas palavras compostas cujos elementos são unidos por hífen:

Alto-relevo
À-toa
Bem-estar
Boa-fé
Cara-de-pau
Dedo-duro
Deus-nos-acuda
Guarda-roupa
Má-criação
Matéria-prima
Mau-caráter
Pão-duro
Pé-de-cabra
Ponto-e-vírgula

Para tentar resolver uma parte desse problema, vamos a uma tabela com os prefixos mais comuns, mais usados. Emprega-se o hífen quando ao prefixo forem agregadas palavras que comecem pelas letras da coluna da direita:

PREFIXO	HÁ HÍFEN SE A PALAVRA COMEÇA POR
Infra Intra Ultra Supra Extra Pseudo Neo Auto Semi Contra Proto	vogal h r s

Exemplos
"Infra-estrutura", "intra-uterino", "ultra-sensível", "supra-renal", "extra-oficial", "pseudo-revolucionário", "neo-republicano", "auto-análise", "semi-analfabeto", "contra-ataque", "proto-revolução". Cuidado com "extraordinário", que é exceção, ou seja, não recebe hífen.
Portanto não recebem hífen estas palavras: "Infravermelho", "intramuscular","ultramarino", "contrafilé", "supracitado", "extrajudicial", "pseudoprofeta", "neoliberal", "semifinal", "autocontrole".

PREFIXO	PALAVRA INICIADA POR
Super Inter Hiper	h r

Exemplos
"Inter-regional", "inter-humano", "hiper-raivoso", "hiper-hidrose", "super-homem".
Portanto não há hífen em:
"Interurbano", "interplanetário", "interestadual", "hiperacidez", "hiperativo", "hipersensível", "supermercado", "superatleta", "superamigo".

PREFIXO	PALAVRA INICIADA POR
Ante Arqui Anti Sobre	h r s

Exemplos
"Anti-séptico", "anti-herói", "ante-sala", "arqui-rabino", "sobre-humano".
Portanto não há hífen em:
"Anticristão", "antediluviano", "anteontem", "arquiinimigo", "arquidiocese".

PREFIXO	PALAVRA INICIADA POR
Sub	r b

Exemplos
"Sub-base", "sub-bibliotecário", "sub-região", "sub-ramo".
Portanto não há hífen em (prepare-se para os choques):
"Suboficial", "subdelegado", "subchefe", "subgerente", "subsolo", "subterrâneo", "subaxilar", "subestimar".

Mais um choque: você percebeu que nessa lista não há a letra "h". Isso quer dizer que não há hífen nesse caso.
Então deve-se escrever "subhumano"?
Não. Você escreve "deshonesto"? O "h" some.
Então escreva "subumano", "subepático", "suborizontal".

Co	Não há qualquer regulamentação quanto ao uso desse prefixo. Além disso, a forma como foram registradas as palavras em que surge não nos permite formular qualquer procedimento teórico. Por isso, consulte sempre um bom dicionário e publicações especializadas.

PREFIXO	PALAVRA INICIADA POR
Pan	h vogal

Exemplos
"Pan-africano", "pan-americano", "pan-helenismo".

Sei que essas regras de uso do hífen com os prefixos são um pouco massacrantes. Algumas delas têm explicação a partir de fatores variados, que um belo dia poderemos discutir. O que importa agora é descobir que há um critério.

Tente memorizar essa tabela. É mais fácil por grupos de prefixos, como expus. E, na dúvida, vale sempre consultar um dicionário.

Bem	Deve ser separado por hífen sempre que se ligar a um elemento que possui existência autônoma na língua e com o qual forme palavra composta: "bem-amado", "bem-aventurado", "bem-casado", "bem-comportado", "bem-educado", "bem-estar", "bem-falante", "bem-humorado", "bem-vindo".

OBSERVAÇÕES IMPORTANTES

- O hífen é utilizado para ligar pronomes oblíquos a formas verbais: "beijá-la", "amem-se", "encontrar-te", "procuram-na", "deixei-o".
- Deve ser utilizado também quando o pronome vem colocado no interior da forma verbal, numa construção denominada "mesóclise": "beijá-la-ei", "encontrar-nos-emos", "beijá-la-ia" etc.

Além Aquém Recém Pós Pró Ex Vice	Com estes elementos sempre se emprega o hífen: "além-mar", "aquém-fronteiras", "ex-marido", "pós-operatório", "pré-escolar", "pré", pró-independência", "recém-nascido", "vice-prefeito".

exercício 11

1- Na coluna da direita, escreva a palavra sugerida na coluna da esquerda, empregando o hífen quando necessário.

a) Além/ mar ______

b) Ante/ sala ______

c) Anti/ didático ______

d) Anti/ escravismo ______

e) Anti/ hemorrágico ______

f) Arqui/ milionário ______

g) Auto/ biografia ______

h) Auto/ suficiente ______

i) Bem/ comportado ______

j) Contra/ ofensiva ______

l) Contra/ ponto ______

m) Contra/ senso ______

n) Extra/ oficial ______

o) Extra/ regulamentar ______

p) Infra/ vermelho ______

q) Intra/ venoso ______

r) Mal/ agradecido ______

s) Mal/ criado ______

t) Neo/ modernismo ______

u) Neo/ socialismo ______

v) Pré/ escolar ______

x) Pró/ democracia ______

z) Pseudo/ científico ______

2- Explique o significado das palavras e expressões abaixo:

a) À toa

______

b) À-toa

______

c) Amor perfeito

______

d) Amor-perfeito

______

e) Bem-vindo

______

f) Benvindo

______

g) Dia-a-dia

______

h) Dia a dia

______

i) Pão duro

______

j) Pão-duro

______

"Deixo claro minha posição"

Concordância

Você deve lembrar-se de uma das lições que dei durante uma das campanhas publicitárias do McDonald's, de que participei alguns anos atrás. O filme começava comigo: "Acabou as ficha", "Os menino fugiu", "As batata tá quente".

Isso no Brasil é comum na fala cotidiana, independentemente da classe social. Sob esse aspecto, o Rio de Janeiro talvez seja exceção. No Rio, muita gente faz a concordância, mesmo na linguagem do dia-a-dia. Aliás, o carioca é bem enfático no "s": "dez reaisssss", "vinte fichasssss".

Frases como as que citei na propaganda, em língua formal, passam a "Acabaram as fichas", "Os meninos fugiram", "As batatas estão quentes". Frases como "Foi discutido todas as causas", "Não veio todos os pedidos" passam a "Foram discutidas todas as causas", "Não vieram todos os pedidos".

SIMPLES E INDOLOR, NÃO?

Como se não tivessem sido suficientes todas as conseqüências do bárbaro episódio do desabamento do edifício Palace —obra da desfaçatez de um certo Sérgio Naya—, o senhor Paulo Salim Maluf, engenheiro, presidente do partido que abrigava o deputado-construtor, apareceu, na época, em várias emissoras de televisão para dizer que "Foi decidido e discutido a expulsão..." (ou "Foi discutido e decidido a expulsão..." —não lembro bem em que ordem estava a pérola). Por que Maluf errou? Porque deixou de relacionar "expulsão", palavra feminina, com "decidido" e "discutido", palavras masculinas. Trata-se de caso absolutamente elementar: "foi discutido o processo"; "foi discutida a expulsão"; "foram discutidos os assuntos"; "foram discutidas as questões".

"ELE TORNOU POSSÍVEL TODOS OS MEUS SONHOS?"

Nem pensar. "Possível" se refere a "sonhos", plural. Afinal, os sonhos é que se tornaram possíveis. Então "Ele tornou possíveis todos os meus sonhos". Caso semelhante é o de "A Prefeitura não mantém limpo as ruas". De novo, nem pensar. "Limpo" se refere a "ruas". A frase correta é "A Prefeitura não mantém limpas as ruas". Não é difícil manter ativos os princípios da concordância.

"SOBROU" OU "SOBRARAM QUINZE"? "FALTA" OU "FALTAM TRÊS"?

Um desvio muito comum na língua do dia-a-dia ocorre quando o verbo vem antes do sujeito: "Sobrou quinze", "Falta três". É preciso pensar no que vem depois do verbo e, se necessário, fazer a concordância: "Sobraram quinze", "Faltam três".

Alguns leitores me escrevem pedindo solução para outros casos de concordância, como o de frases em que o adjetivo aparece antes de mais de um substantivo. Acalme-se! Já dou um exemplo. Qual é a forma correta:

"O PAÍS POSSUI BELOS VEGETAÇÃO E RELEVO" OU "O PAÍS POSSUI BELA VEGETAÇÃO E RELEVO"?

Você percebeu que o adjetivo ("belos/bela") foi colocado antes de dois substantivos ("vegetação e relevo")? O que fazer? É simples: faz-se a concordância com o substantivo mais próximo, ou seja, deve-se dizer "O país possui bela vegetação e relevo", ou "O país possui belo relevo e vegetação".

E se o adjetivo for colocado depois? Aí, a história é outra. Há duas opções. Pode-se fazer a concordância com o substantivo mais próximo, ou seja, pode-se dizer "O país possui vegetação e relevo belo", ou "O país possui relevo e vegetação bela". Esse processo, chamado de concordância por atração, é simples e eficiente —e mais do que recomendável na fala.

E SE O ADJETIVO VIER NO FIM DA FRASE: " O PAÍS POSSUI VEGETAÇÃO E RELEVO..."

Pode-se também fazer a concordância calculada. O que é isso? É um processo um pouco mais trabalhoso, por isso mesmo mais exigível na linguagem escrita, em que se dispõe de mais tempo para revisão. No caso do exemplo citado, leva-se em conta que "vegetação" é palavra feminina e "relevo", masculina. Quando se juntam substantivos masculinos e femininos, prevalece o masculino, obviamente no plural. Então, quando se opta pela concordância calculada, deve-se dizer "O país possui vegetação e relevo belos", ou "O país possui relevo e vegetação belos".

Tome cuidado com um caso perigoso. Quando se diz "Estavam preocupados o pai e a filha", o adjetivo (preocupados) só pode ser colocado no plural masculino, já que o verbo (estavam) está no plural, concordando com o sujeito composto (o pai e a filha). Neste caso, a ordem não tem importância: "Estavam preocupados a filha e o pai".

"CHEGOU O DIRETOR E OS ALUNOS" OU "CHEGARAM O DIRETOR E OS ALUNOS"?

Você conhece a música "Cálix Bento"? É do folclore mineiro, e muita gente gravou. A interpretação de Milton Nascimento e a de Pena Branca e Xavantinho são primorosas. "Cálix", que se lê "cális", é a mesma coisa que "cálice". A certa altura, a letra diz: "Onde mora o cálix bento e a hóstia consagrada". É correta a concordância da forma verbal "mora"? Não deveria ser "moram"?

Vamos ver. Quem é que mora? Não é difícil perceber que os "moradores" são dois: o cálix bento e a hóstia consagrada. Isso significa que o sujeito, no caso, é composto, já que é formado por dois núcleos ("cálix e hóstia"). Talvez você já esteja com vontade de afirmar que a concordância está errada, afinal, se o sujeito é composto, o verbo deve ficar no plural, certo? Não é bem assim. Na letra da música, o sujeito é colocado depois do verbo, e nesses casos há duas opções: o verbo pode ir para o plural ("moram"), ou concordar com o núcleo mais próximo, que no caso é "cálix", o que justificaria a forma "mora".

Conclui-se, então, que são corretas frases como "Chegou o diretor e os alunos" e "Chegaram o diretor e os alunos". Na primeira, quer se queira, quer não, há mais ênfase para a chegada do diretor. Já na segunda, privilegia-se o conjunto formado pelo sujeito composto ("o diretor e os alunos"). É óbvio que a frase "Chegou os alunos e o diretor" não seria possível, já que o núcleo do sujeito mais próximo do verbo ("alunos") estaria no plural. Nessa ordem, seria obrigatória a forma "chegaram": "Chegaram os alunos e o diretor".

E SE O SUJEITO FOSSE COLOCADO ANTES DO VERBO?

Não haveria escolha. O verbo só poderia ficar no plural. Na letra de "Cálix Bento", teríamos "Onde o cálix bento e a hóstia consagrada moram". No outro exemplo, teríamos "O diretor e os alunos chegaram".

Na escrita, a dupla possibilidade de concordância do verbo que vem antes do sujeito composto deve ser usada com cautela. Num texto literário, em que muitas vezes predomina a intenção do autor de destacar um ou outro elemento, esse recurso é perfeitamente justificável. É o caso desta frase, de uma obra de Érico Veríssimo: "Passou-me pela mente a face e a voz duma professora de escola primária". Seria perfeitamente possível a concordância no plural ("passaram-me"), mas Veríssimo preferiu enfatizar o primeiro núcleo do sujeito ("face").

Já num texto jornalístico, não é conveniente o verbo no singular em frases como "Renunciou o presidente e os ministros". É da própria natureza do texto jornalístico a necessidade de neutralidade, que no caso se expressaria na concordância com o conjunto do sujeito ("Renunciaram o presidente e os ministros").

Bem, depois de tudo, você deve ter percebido que há um erro no título desta coluna.

FICOU CLARA A MINHA POSIÇÃO?

exercício 12

1- Complete as frases com o adjetivo "bonito", em uma de suas flexões:

a) Que _______________ olhos e pernas tem aquela mulher!

b) Que _______________ pernas e olhos tem aquela mulher!

c) Foi à festa com saia e blusa _______________ .

d) Foi à festa com saia e sapatos _______________ .

2- Diga qual(is) da(s) frase(s) de cada par é(são) correta(s):

a) ( ) Foi desclassificado o Corinthians e o Flamengo.
( ) Foram desclassificados o Corinthians e o Flamengo.

b) ( ) Ficaram impressionados o cantor e a platéia.
( ) Ficaram impressionados a platéia e o cantor.

c) ( ) Ficou impressionado o cantor e a platéia.
( ) Ficou impressionada a platéia e o cantor.

d) ( ) Ficou impressionado os cantores e o público.
( ) Ficou impressionado o público e os cantores.

e) ( ) Chegou atrasada a diretora e a secretária.
( ) Chegaram atrasados a diretora e a secretária.

f) ( ) Chegaram atrasadas as secretárias e os professores.
( ) Chegaram atrasados as secretárias e os professores.

Obrigado, muito obrigado

Concordância nominal

Freqüentemente recebo mensagens de leitores que me perguntam como fica o caso do agradecimento em português.

QUANDO SE DIZ "OBRIGADO" E QUANDO SE DIZ "OBRIGADA"?

Por incrível que pareça, muita gente aprende na escola que a forma correta depende da pessoa a quem se está agradecendo. Nem pensar. Um homem deve dizer "obrigado", independentemente do sexo da pessoa a quem estiver agradecendo. Uma mulher deve sempre dizer "obrigada", a quem quer que seja: "Muito obrigada, eu mesma me sirvo".

A origem do agradecimento em português é exatamente a idéia de assumir uma obrigação com a pessoa que prestou o favor. Quando um homem diz "obrigado", está dizendo que se sente obrigado a retribuir o favor que recebeu. Para a mulher, vale o mesmo raciocínio, ou seja, se ela se sente obrigada a retribuir o favor, obviamente deve dizer "obrigada", o que equivale a dizer "Sinto-me obrigada", ou "Estou obrigada a retribuir o favor".

Note ainda a necessidade de também concordar a palavra "mesmo". Uma mulher deve dizer "eu mesma". Se estiver falando em nome de um grupo exclusivamente feminino, deve dizer "nós mesmas".

ELA ESTÁ "MEIO NERVOSA"? OU SERÁ "MEIA NERVOSA"?

Você já disse ou já ouviu alguém dizer que uma mulher está "muita cansada"? Ou "muita nervosa"? "Não mexa com ela; ela está muita tensa." Já disse isso? Já ouviu isso? Certamente, não. Mas "Ela está meia nervosa" você já ouviu. Será que também já não disse?

"MENAS"?

Alguns leitores me perguntam se é possível dizer "menas". A palavra "menas" simplesmente não é registrada por nenhum dicionário. "Menos" é palavra invariável, ou seja, vale para o singular, plural, masculino, feminino. Portanto você deve ingerir "menos açúcar", "menos batatas fritas", "menos alimentos gordurosos", "menos carnes vermelhas". Esqueça definitivamente a palavra "menas".

Na língua do dia-a-dia, nem sempre os mecanismos impostos pela gramática normativa "pegam". E esse é o caso da concordância da palavra "meio": a gramática diz uma coisa, mas o povo faz outra. É bom lembrar que palavra que modifica adjetivo não varia, ou seja, não sofre alteração. Quando se diz "mulher bonita", "mulher" é substantivo, "bonita" é adjetivo.

COMO VOCÊ PODERIA MODIFICAR O ADJETIVO "BONITA"?

Poderia dizer "mulher muito bonita", por exemplo. "Bonita" é palavra feminina, mas não foi necessário fazer a concordância da palavra "muito". Não se diz "mulher muita bonita", exatamente porque "muito" modifica o adjetivo "bonita" e, como já afirmei, palavra que modifica adjetivo é invariável.

Esse raciocínio vale para todas as situações semelhantes: "mulher muito nervosa", "mulher muito tensa", "mulher muito poderosa", "mulher muito admirada", "mulher muito sábia".

E NO PLURAL?

Ocorre exatamente a mesma coisa: "mulheres muito bonitas", "mulheres muito nervosas", "mulheres muito poderosas" etc.

A MULHER "TODA-PODEROSA"

Dia desses, um repórter referiu-se a Margareth Tatcher como "a ex-toda-poderosa Dama de Ferro". A senhora Tatcher nunca foi "toda-poderosa". Trata-se de um adjetivo composto. Nesse tipo de palavra, o primeiro elemento não varia. "A mulher é todo-poderosa"; "As mulheres são todo-poderosas". A exceção é "surdo-mudo". Variam os dois elementos: "mulher surda-muda", "mulheres surdas-mudas".

NOTOU QUE NÃO SE MODIFICA A PALAVRA "MUITO"?

Não se modifica justamente porque está vinculada a um adjetivo. Então, se a mulher é "muito nervosa", só pode ser ou estar "meio nervosa", "meio cansada", "meio tensa", "meio chateada", "meio preocupada", "meio esquisita", "meio confusa".

Na língua do dia-a-dia, essa concordância não "pegou". O povo gosta mesmo é de dizer "meia nervosa", "meia chateada". E até em escritores clássicos, como Machado e Herculano, há casos semelhantes. Modernamente, de acordo com a gramática normativa, por todas as razões já expostas, não se recomenda o uso de "meia nervosa".

O leitor talvez já esteja intrigadíssimo com a afirmação de que "muito" não varia.

NÃO SE DIZ "MUITAS LARANJAS"?
NÃO SE DIZ "MUITAS MULHERES"?

É claro que sim, mas, por favor, note que a história agora é outra. "Laranjas" e "mulheres" não são adjetivos; são substantivos. E palavra que modifica substantivo varia. Então você diz "muito arroz", "muita carne", "muitos ovos", "muitas bananas". Aonde chegaremos? Ao famoso caso de "meio-dia e meia".

POR QUE O SEGUNDO É "MEIA"?

Porque está oculta a palavra "hora", que não é adjetivo, mas substantivo. "Hora" é nome de um período de sessenta minutos e, se é nome de algo, é substantivo. E, como já vimos, palavra que modifica substantivo varia.

COMO ESCREVER AS HORAS

Existe uma convenção internacional, da qual o Brasil é signatário, que estipula o seguinte: o símbolo de horas é "h", o de minuto é "min". Nada de "hs", nada de "7:00", nada de "7,00". Horas e minutos se juntam: "O jogo começa às 21h30min", "A reunião começou às 7h".

AINDA SOBRE COMO ESCREVER AS HORAS

Leitores perguntam se há diferença entre a duração de algo e a indicação de hora certa. Não. Escreva "O jogo começou às 9h30min". Tudo junto? Sim, sem espaço entre os números e os símbolos. Para a duração de algo, o processo é o mesmo. Se precisar abreviar, escreva: "O filme durou 2h30min"; "A aula durou 55min".

Então, de acordo com a gramática normativa, deve-se dizer "Ela está meio nervosa porque ficou na fila até meio-dia e meia". E no plural? É simples: "Elas estão meio nervosas porque ficaram na fila até meio-dia e meia".

Vale a pena lembrar a palavra "meio-irmão", cada vez mais usada nestes tempos de casamentos que não duram muito. A palavra "meio" modifica a palavra "irmão", substantivo. Não vou repetir a regra, você já a conhece. O plural só pode ser "meios-irmãos". No feminino, "meias-irmãs": "As meias-irmãs se dão muito bem". Note que, se você dissesse "Elas são meio irmãs", o sentido seria completamente diferente. Não haveria entre elas nenhuma ligação de sangue, e sim uma amizade tão forte que as transformaria em "quase irmãs". Nesse caso, "irmãs" passaria a ser adjetivo, como quando se diz "país irmão", "alma irmã".

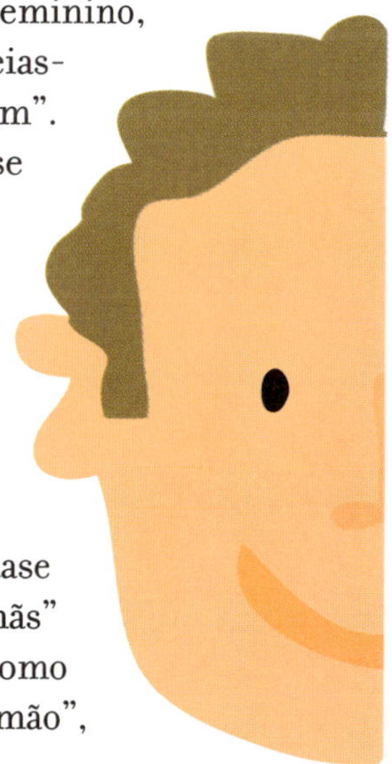

exercício 13

1- Encontre os sete erros de concordância no texto a seguir:

Ao partir de Itabira, Helena prometeu a Paulo que voltaria em breve. Comprometeu-se também a enviar pequenas surpresas, as quais seguiriam anexos aos documentos. Ele, então, transbordando de carinho e ternura, disse à amada que não precisava se comprometer daquela forma, porém ansiava por receber uma foto, que poderia seguir incluso à primeira remessa.

Assim que chegou à Cidade Maravilhosa, Helena encontrou uma realidade totalmente diferente da do interior de Minas Gerais! Dia sim, dia não, chegava uma carta de Paulo, e Helena, atarefadíssima, não encontrava tempo para responder. Como arrumar uma brecha para isso em meio a tantas atividades? Ela mesmo não sabia. Ele continuava a escrever –já tinha chegado seis cartas dele–, e ela, a não responder. Jamais ficariam quite naquela situação. Uma nova amiga tentou ajudar Helena. "Muito obrigado", disse ela, "eu mesmo vou ter de resolver essa situação".

2- Complete as frases a seguir com a forma correta da palavra indicada entre parênteses:

a) Eliane estava ________ murcha desde que Pedro havia partido. (meio)

b) Faz duas horas e ________ que ela deu à luz. (meio)

c) Na vida profissional, Marco Antônio vive uma crise ____________ preocupante: _____________ pessoas foram demitidas sem que pudesse fazer nada! (bastante/ bastante)

d) Já passava da meia-noite e ______________ quando Guilhermina saiu de casa. Parecia ________ chateada e preocupada. (meio/ meio)

e) __________ alunos não acreditavam que existisse esse plural. É que estavam __________ desinformados sobre as questões da nossa língua. (bastante/bastante)

f) Muito ______________, disseram elas em coro, nós __________ preparamos o jantar. (obrigado/ mesmo)

g) Seguem ________ as faturas requeridas. (anexo)

“Está chovendo cenouras”

Concordância verbal

Gosto muito de desenhos animados, dos antigos. Não resisto a um episódio da Pantera Cor-de-Rosa, do Pernalonga ou do Pica-Pau. Dia desses, o danadinho do Pernalonga pronunciou a frase acima: "Está chovendo cenouras!".

ESTÁ? OU ESTÃO?

Aprendemos na escola que os verbos que indicam fenômenos meteorológicos, como "chover", "nevar", "trovejar", "relampejar", são chamados de impessoais e, por isso mesmo, não têm sujeito e são conjugados sempre na terceira pessoa do singular. Até aí, nada de anormal. Ninguém diria "Nevaram durante dez dias", ou "Choveram duas horas".

VERBOS - TEMPOS, MODOS E FORMAS NOMINAIS

Os verbos possuem, além dos modos (indicativo, subjuntivo e imperativo) e tempos (presente, pretérito e futuro), três formas nominais: o infinitivo (pessoal e impessoal), o gerúndio e o particípio.
Essas formas são chamadas nominais porque podem assumir comportamento de nomes (substantivos, adjetivos e advérbios) em determinados contextos.
No caso do verbo "andar", temos:

infinitivo	andar
gerúndio	andando
particípio	andado

O infinitivo apresenta o processo verbal em si mesmo, sem nenhuma noção de tempo ou modo. É a forma usada para nomear os verbos. Ex.: "Andar faz bem para a saúde". Em português, o infinitivo pode ser pessoal ou impessoal. Com o pessoal, o processo verbal é relacionado a algum ser: "Perguntei-lhe se havia alguma contra-indicação em eu caminhar diariamente". Com o impessoal, o processo verbal não é restrito a nenhum ser em particular: "Andar traz benefícios inestimáveis à saúde".

Ocorre que esses verbos podem ser usados em sentido figurado. No caso de "chover", pode-se usá-lo com o sentido de "cair da atmosfera, cair do alto em abundância". E aí o que acontece? O que chove, ou seja, o que cai funciona como sujeito e impõe a necessidade de concordância do verbo: "Estão chovendo cenouras", ou seja, "Cenouras estão caindo". Do céu, do alto ou seja lá de onde for.

A mesma situação se verifica quando se diz "Choveram palavrões durante o jogo". É óbvio que o verbo foi empregado em sentido figurado. Foram os palavrões que choveram. Nesse caso, é infame pensar que eles tenham caído do céu. A idéia é mesmo de algo que ocorre em abundância.

Fica clara a orientação: usados em sentido figurado, esses verbos passam a ser flexionados e devem concordar com o seu sujeito.

SUJEITO

Termo ao qual o predicado se refere, ou seja, termo sobre o qual recai a declaração contida no predicado. Em outras palavras, o sujeito é o termo com o qual o verbo concorda, já que, por fazer parte do predicado, o verbo também se refere ao sujeito e, conseqüentemente, com ele concorda.

Voltamos ao velho problema, já comentado por mim algumas vezes: não temos o hábito de fazer a concordância. E, por falar em concordância, vamos aproveitar a situação para comentar um caso que deixa muita gente em dúvida, o do verbo "fazer".

"FAZ" OU "FAZEM" DOIS ANOS QUE ELES SE CASARAM?

As gramáticas dizem que, quando usado para indicar idéia de tempo transcorrido, ou seja, para marcar o intervalo entre dois fatos, esse verbo é impessoal e, portanto, deve ser mantido sempre no singular.

O que significa isso? Que não se deve dizer "Fazem dois anos que eles se casaram". O que se quer é estabelecer o intervalo entre o momento em que se está e o momento em que o fato ocorreu. É nesse caso que o verbo "fazer" não deve sofrer flexão: "Faz muito tempo que não a vejo"; "Faz vinte anos que ela morreu"; "Já fazia dez anos que eu não via sua prima"; "Ontem fez três meses que eles se casaram".

MAIS SOBRE VERBOS

O que caracteriza os verbos são as suas flexões, e não seus possíveis significados. Note que palavras como "feitura", "cópia", "chuva", "acontecimento" e "aspiração" têm significado semelhante a "fazer", "copiar", "chover", "suceder", "almejar"; contudo, não apresentam todas as possibilidades de flexão que esses verbos possuem.

É mais do que claro que, quando se diz "Cinco anos fazem muita diferença", não se está querendo indicar o intervalo entre dois fatos. Então é óbvio que o verbo "fazer" deve sofrer a flexão, de acordo com o seu sujeito ("cinco anos").

Tome muito cuidado com um outro probleminha: o verbo "fazer" associado a outro verbo. Se você diz "Faz dez anos que ela desapareceu", você deve dizer "Deve fazer dez anos que ela desapareceu". Para quem não se lembra, "deve fazer" é o que se chama de locução verbal, isto é, um verbo auxiliar (o primeiro, "deve") e um verbo principal (o segundo, "fazer"). Quem manda na brincadeira? O chefe, é claro. E o chefe é o verbo principal, que, no caso, é "fazer", com a idéia de intervalo entre dois fatos. O auxiliar trabalha seguindo as ordens do chefe, ou seja, deve também ficar no singular.

Então você deve dizer "Vai fazer dez anos que ela desapareceu"; "Já devia fazer cinco horas que eu estava esperando".

LOCUÇÕES VERBAIS

Conjunto de verbos que, numa frase, desempenham papel equivalente ao de um verbo único.

Exemplos:
"Nenhum funcionário poderá sair durante o horário de expediente", "Está havendo uma convulsão social no país".

Moral da história:

"Faz (Vai fazer) cinco meses que não chove". "Fazia (Devia fazer) três meses que não chovia". E não se confunda. Isso vale para quando o verbo "fazer" indica intervalo entre dois fatos: "Faz (Deve fazer) cinco minutos que o jogo começou".

Você não dirá "Eles faz quarenta minutos de ginástica por dia", e sim "Eles fazem quarenta minutos de ginástica por dia". Mas dirá "Faz quarenta minutos que eles estão na academia".

exercício 14

1- Transforme cada uma das frases a seguir conforme o modelo. Em seguida, indique o sujeito de cada oração.

Ex.: Acordar cedo.

Sempre acordo cedo. (eu)

Sempre acordas cedo. (tu)

Sempre acordamos cedo. (nós)

Sempre acordais cedo. (vós)

a) Cumprir a promessa.

____

____

____

____

b) Ser surpreendido por gente indiscreta.

____

____

____

____

2- Complete as frases abaixo com a forma adequada do verbo "fazer":

a) ____________ anos que não o vejo.

b) ____________ meses que não a encontrava.

c) ______________ anos que não vou lá.

3- Assinale a(s) alternativa(s) correta(s):

a) Existem muitas pessoas no prédio.

b) Há muitas pessoas no prédio.

c) Existiam muitas pessoas no prédio.

d) Havia muitas pessoas no prédio.

e) Ocorrem muitos acidentes.

f) Ocorriam muitos acidentes.

g) Ocorreram muitos acidentes.

h) Acontecem muitos acidentes.

i) Aconteciam muitos acidentes.

j) Aconteceram muitos acidentes.

l) Há muitos acidentes na estrada.

m) Havia muitos acidentes na estrada.

n) Houve muitos acidentes na estrada.

4- Complete com uma forma adequada do verbo entre parênteses:

a) __________ fazer cinco anos que nos separamos. (ir)

b) ____________ fazer seis meses que não nos falamos. (dever)

c) Os alunos______________ fazer o exercício proposto. (dever)

Mais uma do coelho

Pronúncia correta das palavras

No texto passado, citei o coelho Pernalonga e uma concordância ruim que lhe enfiaram na boca ("Está chovendo cenouras"). Hoje vou fazer o contrário. Vou mostrar um acerto —e que acerto!— do querido orelhudo.

Como já disse, não resisto a um desenho animado, dos antigos. Num episódio do Pernalonga, o coelho diz a seguinte frase: "Acho que usei um fluido muito forte".

COMO VOCÊ LÊ A PALAVRA "FLUIDO" NESSA FRASE? A FORÇA É NO "U" OU NO "I"?

Vamos lá. Essa palavra tem apenas duas sílabas: "flui-do". A vogal tônica, ou seja, a mais forte é o "u". Você deve ler "flUido", do mesmo jeito que você lê a forma verbal "cuido" (verbo "cuidar"). "Fluido" pode ser o que se coloca no freio do automóvel, no isqueiro antigo. Também pode ser aquilo que dizem que as pessoas têm ou transmitem: "Ela é muito boa e passa ótimos fluidos".

COMO VOCÊ LEU? REPITO:
A FORÇA ESTÁ NA VOGAL "U". LEIA "FLUIDO" COMO VOCÊ LÊ "CUIDO".

O problema é que muita gente simplesmente não consegue pronunciar "fluido", assim como não consegue pronunciar "circuito", "gratuito". Epa!

COMO VOCÊ LEU "CIRCUITO" E "GRATUITO"?

Se leu com força no "i" que vem depois do "u", errou. Leia "circUito", "gratUito". Esse grupo "ui" dessas duas palavras também deve ser lido como o grupo "ui" da forma verbal "cuido".

Então vamos tentar. Leia: "Houve um curto-circuito durante o espetáculo gratuito no circuito de Jacarepaguá". Acertou? Tente outra vez: "curto-circUito", "gratUito", "circUito".

SÍLABA TÔNICA

A posição correta da sílaba tônica de uma palavra é determinada pela língua culta. É muito comum detectar diferenças entre a pronúncia cotidiana e aquela recomendada pelos dicionários.

Muitas vezes, nas emissoras de rádio e TV, ouve-se a pronúncia inadequada, o que aumenta a confusão. Quem fala para o público tem obrigação de estudar a língua. Por falar em televisão, o coelho Pernalonga disse "flUido", com a pronúncia correta, redimindo-se do erro de concordância com as cenouras.

Agora, vamos colocar um pouco mais de lenha na fogueira. Como é o particípio do verbo "cair"? "Caído", é claro. E o de "sair"? "Saído." O de "trair" é "traído".

E O DE FLUIR?

FLUIR? QUE VERBO É ESSE?

Vamos aos dicionários:
"Correr em estado fluido; manar".
Os líquidos fluem, os gases fluem. Em sentido figurado, as palavras fluem. É por isso que se diz "falar fluentemente", ou "inglês fluente". Por que "fluente"? Porque quem fala fluentemente uma língua expressa-se com fluência nessa língua, ou seja, as palavras, as frases escorrem como água de uma torneira.

Precisamos voltar ao particípio do verbo "fluir", lembra? Se o de "cair" é "caído", o de "sair" é "saído" e o de "trair" é "traído", o de "fluir" é "fluído". Epa! Como você leu? Notou a presença de um acento na letra "i"? Então leia a seguinte frase: "Choveu muito. As ruas estão alagadas. Depois que as águas tiverem fluído, irei à oficina para trocar o fluido do freio do carro". Como você leu a primeira? "FluÍdo", com força no "i". E a segunda? "FlUido", com força no "u".

O nome do capítulo da gramática que trata da posição correta da sílaba tônica é "prosódia". Na ultragenial "Língua", obra-prima da cultura popular deste país, mestre Caetano Veloso diz: "E quero me dedicar a criar confusões de prosódia...". Não se preocupe com essas "confusões". As intenções de Caetano são as melhores possíveis. Caetano é poeta. E dos grandes.

A MOEDA DA INDONÉSIA

Nos tempos de crise nas bolsas, crise nos chamados Tigres Asiáticos, sobraram torpedos até para a língua portuguesa. O pessoal de rádio e TV andou sofrendo para pronunciar o nome da moeda da Indonésia. Todos disseram "rúpia". "Rúpia" é uma planta aquática.
A moeda é "rupia", sem acento no "u". Lê-se com força no "i", tal qual "Maria", "mania", "tia", "dia", "nostalgia", "ousadia", "simpatia".

Vale a pena aproveitar a oportunidade para fixar a prosódia de outras palavras. Aliás, sabe que nome se dá a erro de prosódia? Silabada. Quem diz "íbero" em vez de "ibero" comete silabada. Quer mais? Não diga "rúbrica"; diga "rubrica". "Rubrica" é uma assinatura abreviada, um visto.

Um homem extremamente apegado ao dinheiro é "avaro" ou "ávaro"? É "avaro". E quem pratica a caridade é "filântropo" ou "filantropo"? É "filantropo".

O assunto é interminável e sugere outro, muito importante: as regras de acentuação. Quem conhece as regras de acentuação e seu mecanismo lê corretamente qualquer palavra do dicionário.

DUPLA PRONÚNCIA

Há muitas palavras que admitem dupla pronúncia. Você pode dizer "acróbata", com força na sílaba "cró", ou "acrobata", com força na sílaba "ba". Também é indiferente dizer "Oceânia" ou "Oceania". E vale lembrar: estão nos dicionários a clássica "azálea", sem "i" e com força na sílaba "zá", e a popular "azaléia", com "i".

exercício 15

Como você pronuncia as palavras a seguir? Se a pronúncia correta estiver à esquerda, assinale a coluna 1. Se estiver à direita, assinale a coluna 2. Se as duas forem corretas, assinale a coluna do meio.

	Coluna 1	Coluna do meio	Coluna 2	
a) aCRObata				acroBAta
b) aeROlito				aeroLIto
c) aRIete				ariEte
d) AUStero				ausTEro
e) aZIago				aziAgo
f) BAvaro				baVAro
g) caTEter				cateTER
h) CIclope				ciCLOpe
i) CONdor				conDOR
j) hieROglifo				hieroGLIfo
l) JUniores				juniOres
m) LAtex				laTEX
n) MISter				misTER
o) moNOlito				monoLIto
p) NObel				noBEL
q) oceAnia				oceaNIa
r) Omega				oMEga
s) proJEtil				projeTIL
t) PUdico				puDIco
u) REcorde				reCORde
v) RUim				ruIM
x) tranSIStor				transisTOR
z) ZANgão				zanGÃO

Obs: 1. A sílaba tônica supostamente correta foi grafada em letras maiúsculas.
2. Algumas das palavras acima são acentuadas e tiveram seus respectivos acentos gráficos intencionalmente eliminados para não interferir nos exercícios.

Casinha e pezinho

Ortografia 1

Todos sabem que grafia em português não é flor que se cheire. O "x" de "lixo" não se lê como o de "máximo", nem como o de "tóxico", que, por sua vez, não se lê como o de "exame". Para piorar, o "x" de "lixo" tem o mesmo som do grupo "ch" de "chato", "chamar", "charco".

"PARÊNTESES" OU "PARÊNTESIS"?

Um leitor perguntou qual das formas é correta. Disse que no minidicionário de Celso Luft estão registradas as duas grafias, mas que no minidicionário de Aurélio Buarque não se encontra "parêntesis". É sempre arriscado consultar minidicionários, já que a limitação de espaço não permite a seus autores que operem milagres. Certos cortes são inevitáveis. "Parêntese" é singular; "parênteses" é plural. "Parêntesis", forma igualmente correta, é singular e plural: "o parêntesis", "os parêntesis".

Que o fato é complicado todos sabem. Que não é fácil evitar os erros de grafia todos também sabem. O que fazer? O melhor mesmo é tentar assimilar o que pode ser sistematizado. Não é muita coisa, mas funciona muito bem. Vamos a alguns casos, começando pelo diminutivo, que confunde muita gente.

POR QUE O DIMINUTIVO DE "CASA" É "CASINHA", COM "S", E O DE "PÉ" É "PEZINHO", COM "Z"?

Por uma razão muito simples: o sufixo "zinho", que indica a flexão de grau diminutivo, escreve-se com "z". "Pé" vira "pezinho", "mãe" vira "mãezinha", "pai" vira "paizinho", "bar" vira "barzinho", "cor" vira "corzinha", "pão" vira "pãozinho" e por aí vai.

Já o caso de "casa" é diferente. Não se acrescenta o sufixo "zinho" ("zinha", no caso), e sim "inho" ("inha"). Afinal, trata-se de "casinha" e não de "casazinha". Então, se se acrescenta "inho/inha", vale o "s" de "casa" (casa+inha = casinha). O mesmo se pode dizer de "japonesinho" (japonês+inho), "lapisinho" (lápis+inho) etc.

E "NARIZINHO"?

Segue o mesmo esquema: nariz+inho = narizinho. Então, se o que se acrescenta é realmente o sufixo "zinho", usa-se a letra "z". Se o que se acrescenta é "inho, inha", vale a grafia da palavra primitiva.

"ESPONTANEIDADE" OU "ESPONTANIEDADE"?

Qual é a palavra primitiva, ou seja, a que dá origem à que pretendemos grafar e pronunciar corretamente? É "espontâneo". Então de "espontâneo" fazemos "espontaneidade", como de "simultâneo" fazemos "simultaneidade". E de "contemporâneo"? "Contemporaneidade", como de "idôneo" fazemos "idoneidade". Cuidado com o atestado! Só pode ser de "idoneidade". Atestado de "idoniedade" é mais do que frio.

A terminação "-oso" indica idéia de abundância, excesso. Lugar "perigoso" é lugar cheio de perigo; comida "gostosa" é cheia de gosto. E mulher "fogosa" é cheia de fogo. É bom lembrar que essa terminação se escreve com "s".

Nada de "saborozo", "gostozo". E, se de "calor" se faz "caloroso", e não "caloiroso", se de "fervor" se faz "fervoroso", e não "fervoiroso", de "prazer" só se pode fazer "prazeroso", sem "i": lugar prazeroso. Também é possível disciplinar a grafia de substantivos que indicam idéia de estado ou situação, formados com o sufixo "ez/eza". A lista é bem grande: tristeza, pobreza, limpeza, fraqueza, clareza, riqueza, certeza, esperteza, flacidez, estupidez, embriaguez, escassez etc. Todos esses substantivos são derivados de adjetivos, com o acréscimo de "ez/eza", com "z". "Tristeza" deriva de "triste"; "pobreza", de "pobre"; "flacidez", de "flácido", e assim por diante.

SUFIXOS

Elementos que se colocam depois da palavra primitiva, para alterar-lhes parcialmente o sentido: "zinha" em "mãozinha"; "ada", em "boiada"; "eiro" em "ferramenteiro" etc.

Os adjetivos que indicam lugar de procedência, nacionalidade —os chamados adjetivos pátrios— são grafados com "s": "escocês", "irlandês", "islandês", "norueguês", "francês", "inglês", "libanês", "japonês", "chinês", "dinamarquês", "finlandês" etc. Os femininos também se escrevem com "s", mas sem acento: "escocesa", "francesa", "inglesa", "norueguesa" etc.

O "bife à milanesa" e a "lingüiça calabresa" só se comem se a grafia for correta. "Calabresa" diz respeito à Calábria, região do Sul da Itália. "Milanesa" diz respeito a Milão, cidade do Norte da Itália. E esse tipo de adjetivo, como você acabou de ver, escreve-se com "s".

exercício 16

1- Complete as lacunas em branco, de acordo com as informações fornecidas.

a) Muita gente pensa que existe diferença entre essas duas palavras. Em geral, pensa-se que uma das duas grafias é sinônimo de "firma", "empresa". A outra grafia significaria a presença de alguém, o convívio com uma pessoa. Nada disso. Uma das duas formas simplesmente não existe. Estamos nos referindo, respectivamente, às palavras ________________ e ________________ .

b) Como diz um velho amigo, " __________ não é um excesso grandão". Já percebeu, não é? " __________ ", com "ç"; "excesso", com "ss".

c) "Hortên _ ia", a flor. Não aposte um centavo na letra " _ ". Hortên _ ia se escreve mesmo com " __ ".

d) Apesar de sempre se ouvir a forma " _______ ", pronunciada como se houvesse um "z" (______), durante muito tempo nenhum dicionário registrou essa grafia. O Vocabulário Ortográfico, da Academia, registra as duas formas: _______ e _______. Esse vocábulo resulta da soma de "aero", elemento presente em muitas palavras —vem do grego e significa "ar"—, com "sol", resultante da redução de "hidrossol" (solução coloidal aquosa). Esse "sol", por sua vez, resulta da redução de "solução". Ufa! Acabou!

e) Muitos leitores perguntam como se lê essa palavra. Esse "x" é como o de "lixo" ou como o de "fluxo"? Não leia o "x" de " ______ " como o de "lixo". Leia-o como o de "fluxo". O "x", no caso, produz dois fonemas, ou seja, dois sons. Foneticamente, equivale a "cs". E é claro que na família toda se verifica a mesma pronúncia: toxicômano, intoxicado etc.

f) Trata-se de uma bela palavra. "É resistir ao ______________ , o coração fica insuperável e pode em vida imortalizar-se", diz um belo samba de Eduardo Gudin e Paulo César Pinheiro. Como você leu a bendita palavra? Nada de pronunciar o "x" com som de "cs". Esse "x", traiçoeiro, lê-se como o de "exemplo", "exame", "exato", "exercício", "exorcismo". E o que significa essa palavra? "Austero, rígido, implacável, inabalável, que não cede a apelos."

g) " __________ " é simplesmente "narrativa popular em verso". Essa palavra nada tem em comum com "chácara", propriedade rural. O dicionário é mesmo uma infinita caixinha de surpresas.

Árvore genealógica

Ortografia 2

No último texto, vimos algumas orientações importantes sobre ortografia. Vimos que é possível seguir alguns sistemas, que não costumam falhar.

> **"CONTACTO" OU "CONTATO"?**
>
> Você certamente já ouviu "contacto", "contato", "contactar", "contatar". Como fica isso? Neste caso, vale tudo. É comum a existência de formas variantes, como "corrupção" e "corrução", esta corretíssima, apesar de parecer esquisita. O problema é que muita gente se empolga e vai tirando o "p" e o "c" a torto e a direito. E aí surge o verbo "detetar", que não existe. O certo é mesmo "detectar".

Vamos ver mais alguns.

POR QUE "PESQUISAR" SE ESCREVE COM "S" E "CIVILIZAR" SE ESCREVE COM "Z"?

Não é difícil entender. Você lembra o que são sufixos? São elementos que entram na formação de muitas e muitas palavras da língua. Acrescentam-se ao radical da palavra que se quer modificar. É o caso de "-ada" ("boiada"), "-inho" ("gatinho"), "-ez", "-eza" ("estupidez", "fraqueza") etc.

Não se preocupe com o tracinho que você viu antes do sufixo ("-ada", "-inho", "-ez", "-eza"). É colocado justamente para indicar que ele vem depois, ou seja, completa o radical da palavra.

COISINHA E MÃEZINHA

Por que "coisinha" se escreve com "s" e "mãezinha", com "z"? É muito simples. Em princípio, a terminação que indica o diminutivo é "zinho/zinha", com "z": "irmão/irmãozinho", "mãe/mãezinha", "anel/anelzinho". Ocorre que, quando a última sílaba do que se quer colocar no diminutivo começa ou termina em "s", esse "s" fica: "casa/casinha", "português/portuguesinho", "coisa/coisinha".

Muito bem. A pergunta era sobre "pesquisar" e "civilizar". Na formação do verbo "pesquisar", entrou o sufixo "-ar": pesquisa+ar = pesquisar. E "pesquisa" se escreve com "s", portanto "pesquisar" mantém esse "s". A mesma situação se verifica em "analisar" (análise+ar), "avisar" (aviso+ar), "improvisar" (improviso+ar), "atrasar" (atraso+ar) etc. É claro que, se você erra a grafia da palavra primitiva, acaba errando também a da derivada. Quem escreve "atrazo", que está errada, acaba escrevendo "atrazar", que também está errada.

No caso de "civilizar", entrou o sufixo "-izar", que se escreve com "z": civil+izar = "civilizar". O sufixo "-izar" é muito mais freqüente do que o sufixo "-ar". De fato, é bem mais fácil achar exemplos de verbos formados com "-izar" do que com "-ar". Veja alguns:

"socializar"	(social+izar),
"valorizar"	(valor+izar),
"suavizar"	(suave+izar),
"imunizar"	(imune+izar),
"fertilizar"	(fértil+izar),
"horrorizar"	(horror+izar),
"atualizar"	(atual+izar),
"finalizar"	(final+izar),
"comercializar"	(comercial+izar) etc.

CATEQUI __AR, CATEQUE __E. COMO VOCÊ COMPLETARIA ESSAS PALAVRAS?

Tome cuidado com o verbo "catequizar". "Catequese" se escreve com "s", mas o verbo não é "catequesar", e sim "catequizar".

Outra orientação importante é relativa aos verbos que terminam em "air" e em "uir". Nada de "e" na terceira do singular do presente do indicativo: "trai", "sai", "cai", "flui", "influi", "possui", "contribui", "substitui", "retribui". Os verbos "querer" e "pôr" nunca apresentam a letra "z" nas suas formas: "quiséssemos", "quis", "quiser", "quiseram", "quisesse", "pus", "pusesse", "puser", "puseram" etc.

"PRETENCIOSO" OU "PRETENSIOSO"?

Há palavras que você escreve a vida toda de um jeito, e com a mais absoluta certeza. Você escreve "malicioso", "tendencioso", "ganancioso" com "c", o que o leva a ter vontade de lascar um "c" também em preten... E agora? "Malicioso" vem de "malícia"; "tendencioso", de "tendência"; "ganancioso", de "ganância" — todas com "c". Mas "pretensão" se escreve com "s". Então "pretensioso" se escreve com "s".

Agora um desafio. Complete a frase com a forma adequada do verbo "enferrujar":

"VAI CHOVER. GUARDE AS CADEIRAS PARA QUE ELAS NÃO SE ____________________".

Como você escreveu? Com "j" ou com "g"? Se o infinitivo do verbo se escreve com "j", esse "j" permanece em todas as formas de sua conjugação. Portanto você deve escrever "enferrujem", com "j": "Guarde as cadeiras para que elas não se enferrujem". Mas dá vontade de escrever com "g", não dá? E por quê? Porque o substantivo "ferrugem" se escreve com "g". É claro que o infinitivo não poderia ser escrito com "g". Seria "enferrugar". Repito: se o infinitivo se escreve com "j", esse "j" fica em todas as formas.

E QUANDO O VERBO TEM O INFINITIVO COM "G", COMO "DIRIGIR", "AGIR"?

É simples. O titular é o "g", que fica na conjugação sempre que possível.

POR QUE SEMPRE QUE POSSÍVEL?

Porque na primeira do singular do presente do indicativo, por exemplo, não é possível manter o "g": "dirigo", "ago" são formas esquisitas, não acha? Então você troca o "g" por "j": "dirijo", "ajo". Depois, o "g" pode muito bem dar conta do recado: "dirige", "dirigimos", "dirigem", "age", "agimos", "agem" etc.

Moral da história: durante a conjugação verbal, você nunca vai precisar trocar o "j" do infinitivo por "g", mas às vezes vai precisar trocar o "g" por "j".

"VEREDICTO" OU "VEREDITO"?

Cuidado com a empolgação!
Nada de tirar o "c". A forma correta é "veredicto", palavra de origem latina, que, ao pé da letra, significa "verdadeiramente dito".
Em compensação, nada de colocar o "c" em "aficionado". Não existe "aficcionado", como gostam de dizer os jornalistas esportivos. Ninguém é "aficcionado" de nada. Diga "Os aficionados do futebol" ou "Os aficionados ao futebol".

exercício 17

Complete as palavras a seguir, com a letra "j", "g", "s" ou "z":

Abali ___ ado	Burguê ___	Flacide ___	___ ibóia	Ori ___ em	Ri ___ idez
Agiota ___ em	Burgue ___ a	Fuli ___ em	___ iló	Pa ___ é	Ri ___ eza
A ___ ito	Capitali ___ ar	Fu ___ ível	___ ipe	Pedá ___ io	Sacerdoti ___ a
Al ___ ema	Catali___ ar	Gara ___ em	Lambu ___ ar	Persona ___ em	Sar ___ eta
Ameni ___ ar	Civili ___ ar	Gen ___ ibre	Laran ___ eira	Portugue ___ a	Singele ___ a
Amoro ___ o	Coli ___ ão	___ ente	Lison ___ ear	Pressá ___ io	Si ___ udez
Análi ___ e	Conta ___ em	___ esto	Lití ___ io	Pro_étil	Suavi ___ ar
Ani ___	Contá ___ io	___ irassol	Lo ___ ista	Pro ___ etil	Subterfú ___ io
Apo ___ eu	Cora ___ em	He ___ itar	Lou ___ a	Pu ___	Ti ___ ela
Ara ___ em	Desli ___ ar	Hortên ___ ia	Macie ___	Pu ___ emos	Tra ___ e
Ar ___ ila	Duque ___ a	Hospitali ___ ar	Mai ___ ena	Qui ___	Va ___ em
A ___ ilo	Economi ___ ar	Humani ___ ar	Malandra ___ em	Qui ___ er	Vare ___ ista
Atrá ___	Encora ___ em	Ima ___ em	Man ___ ericão	Ra ___ ante	Va ___ amento
Atuali ___ ar	Enferru ___ ar	Invalide ___	Mensa ___ em	Reali ___ ar	Verti ___ em
Avare ___ a	Engrena ___ em	Japonê ___	Milane ___ a	Refú ___ io	Vir ___ em
Bali ___ ar	Escasse ___	Japone ___ a	Nobre ___ a	Reló ___ io	Visco ___ a
Berin ___ ela	Estupide ___	___ eito	Noruegue ___ a	Repu ___	Vi ___ ível
Bondo ___ o	Esva ___ iar	___ enipapo	Ob ___ équio	Repu ___ emos	
Bra ___ a	Extrava ___ ar	___ equitibá	Ojeri ___ a	Re ___ ina	

Eta verbinho danado!

Verbo haver

A língua tem lá as suas particularidades, e uma delas diz respeito ao bendito verbo "haver". Se você o procurar no dicionário, vai ficar surpreso. Ele tem mais significados do que você imagina.

Um dos tantos significados de "haver" é "existir". Outro é "ocorrer", "acontecer". E, nesses casos, o verbo "haver" apresenta uma particularidade: é chamado de impessoal.

VERBO IMPESSOAL

É aquele sem sujeito. E, quando o verbo não tem sujeito, não tem com quem concordar. Moral da história: quando o verbo "haver" é impessoal, deve-se mantê-lo na terceira pessoa do singular.

Agora vamos ao lado prático.

VOCÊ SABE CONJUGAR O PRESENTE DO INDICATIVO DO VERBO "HAVER"?

Relembre: "eu hei, tu hás, ele há, nós havemos (ou hemos), vós haveis (ou heis), eles hão". A que pessoa gramatical pertence a forma "há"? À terceira do singular. "Hão" pertence à terceira do plural. E você não diz —nem ouve alguém dizer— "Hão problemas graves neste país". Ou já disse isso? Já ouviu isso? Claro que não.

Muito bem. Se você não diz "Hão muitos problemas graves", "Hão pessoas na sala", "Hão muitos acidentes naquela rodovia", "Hão muitos desempregados", ou seja, se você não põe o verbo "haver" no plural no presente do indicativo quando o emprega como sinônimo de "existir" ou de "ocorrer",

POR QUE É QUE HAVERIA DE COLOCÁ-LO NO PLURAL EM OUTRO TEMPO?

Se você diz "Há problemas" ou "Há pessoas", você deve dizer "Havia problemas", "Havia pessoas", "Houve problemas", "Houve pessoas", "Haverá problemas", "Haverá pessoas" etc.

Muitas das pessoas públicas simplesmente não foram à escola no dia em que isso foi ensinado. Basta ligar o rádio ou a televisão ou abrir um jornal para encontrar pérolas como "Haviam mais de duas mil pessoas na fila", ou "As faltas violentas que houveram durante o jogo". Pois é exatamente quando deve aparecer o singular que entra em cena o plural.

"HÁ" OU "HÃO" MAIS DE DUAS MIL PESSOAS NA FILA? "HÁ" OU "HÃO" FALTAS VIOLENTAS DURANTE O JOGO?

"Há", é claro. Se se diz "Há", deve-se dizer "Houve/Havia/Haverá/Haveria mais de duas mil pessoas na fila".

E "Havia/Houve/Haverá/Haveria faltas violentas durante o jogo".

A mesma observação vale quando se conjugam os tempos do modo subjuntivo: "Caso haja pessoas interessadas"; "Se houvesse pessoas interessadas"; "Se houver pessoas interessadas". Nada de "Caso hajam pessoas", ou "Se houvessem/houverem pessoas".

SUBJUNTIVO

Em português, existem três modos verbais: indicativo, subjuntivo e imperativo.
O modo subjuntivo é usado quando o conteúdo expresso é tido como provável, duvidoso ou hipotético.
Exemplos:
"Talvez eu vá visitá-lo".
"Se chovesse, o cronograma da obra seria prejudicado".

Tome muito, mas muito cuidado para não fazer uma confusão que muita gente faz. Se você prestou bastante atenção, percebeu que afirmei que o verbo "haver" não deve ser posto no plural quando usado como sinônimo de "existir" ou de "ocorrer". Não afirmei que "existir" e "ocorrer" não devem ser postos no plural. O verbo "existir" e o verbo "ocorrer", como 99,99% dos verbos da língua, são normais, têm sujeito, fazem a variação singular/plural etc. Então, pelo amor de todos os santos e deuses em que você crê, diga ou escreva "Havia pessoas", "Havia discussões", mas diga ou escreva "Existiam pessoas", "Ocorriam discussões".

De uma vez por todas: o problema ocorre com o verbo "haver", e não com seus sinônimos.

PODEMOS CONCLUIR, ENTÃO, QUE NÃO EXISTEM AS FORMAS "HAVERÃO, HAVIAM, HOUVERAM, HOUVESSEM" ETC.?

Não é bem assim. No início do texto afirmei que o verbo "haver" tem vários sentidos. E só quando é usado com o sentido de "existir" ou de "ocorrer" o verbo "haver" se fixa no singular. Nos outros casos, use e abuse. Faça-o ir do singular para o plural e do plural para o singular sem a menor cerimônia.

O "VERBO HAVER"

Vejamos alguns dos vários significados do verbo "haver". Ele pode, por exemplo, ser sinônimo de "comportar-se, sair-se": "Os alunos não se houveram bem na prova". Pode significar "obter, conseguir": "Apesar de tudo, elas não houveram o perdão do pai". Está achando isso estranho? Pode conferir nos dicionários e nos clássicos da língua. Outro significado de "haver" é "julgar, considerar": "O árbitro houve por bem anular o gol". Esse verbo pode, ainda, ser empregado como auxiliar, na formação dos chamados tempos compostos. É o caso de "Havíamos feito a tarefa". O verbo "haver" cabe ainda em expressões como "Hei de conseguir", "Você há de vencer" etc.

Agora, uma surpresa:

O QUE SIGNIFICA "REAVER"?

Quando se diz "Pretendo reaver o que perdi", ou "Ela não conseguiu reaver os documentos", o que se quer dizer? Não é difícil entender que "reaver" significa "recuperar, possuir outra vez". Mas, pensando bem, se o prefixo "re-" significa "de novo", "outra vez", o verbo "reaver" nada mais é do que "haver de novo", "haver outra vez". E, se "reaver" é "possuir outra vez", "possuir de novo", "haver" é sinônimo de "possuir", "ter". Será?

Basta consultar os dicionários para constatar que isso é a mais pura verdade. A língua tem dessas coisas. O verbo "haver" com o sentido de "possuir" ("Eu hei um automóvel") caiu em desuso. Hoje, se alguém disser isso, será internado imediatamente. Mas, na formação de "reaver", o verbo "haver" conserva o sentido de "possuir", já que "reaver" é "haver de novo", "possuir", "ter outra vez". Coisas da língua.

Um detalhe: o verbo "haver" também pode ser usado como sinônimo de "fazer", na indicação de tempo transcorrido, de intervalo entre dois fatos. Neste caso, os dois se comportam do mesmo modo, isto é, sem variação. Diz-se "Moro aqui faz (e não "fazem") dez anos", ou "Faz dez anos anos que moro aqui", o que equivale a "Moro aqui há dez anos". Percebe-se então que "há" equivale a "faz".

Por último, vou colocar uma pedrinha nos seus sapatos:

PODE-SE DIZER "HÁ DEZ ANOS ATRÁS"?

Pense bem. Posso dizer "Isso aconteceu há dez anos atrás", ou, como na canção de Raul, "Eu nasci há dez mil anos atrás"? Quando se usa o verbo "haver" para indicar idéia de tempo transcorrido, esse tempo já transcorreu, ou seja, já passou. Se já passou, para que serve o "atrás"? Na verdade, dizer "Estive lá há dez anos atrás" é redundante, como "Entrei para dentro", ou "Saí para fora". Assim como basta dizer "Entrei", ou "Saí", basta dizer "Estive lá há dez anos". Sem "atrás".

Apesar de redundante nesse tipo de frase, o termo "atrás" é usadíssimo e encontra registro até em autores de nomeada. Em linguagem formal, evite essa redundância.

exercício 18

1- Assinale a(s) alternativa(s) correta(s) de acordo com a gramática normativa:

a) Há muitos problemas nesta cidade.

b) Hão muitos problemas nesta cidade.

c) Havia muitas pessoas na sala

d) Haviam muitas pessoas na sala.

e) Houve vários acidentes no último fim de semana.

f) Houveram vários acidentes no último fim de semana.

g) Certamente haverá muitas pessoas interessadas.

h) Certamente haverão muitas pessoas interessadas.

i) Há de haver caminhos alternativos.

j) Hão de haver caminhos alternativos.

l) Prosseguirei com o projeto mesmo que haja pessoas contra.

m) Prosseguirei com o projeto mesmo que hajam pessoas contra.

n) Houve tempos em que era difícil o acesso a produtos importados.

o) Houveram tempos em que era difícil o acesso a produtos importados.

p) Os alunos hão de obter a aprovação.

q) Os alunos há de obter a aprovação.

2- Conjugue o verbo "haver" no pretérito perfeito do indicativo e no presente do subjuntivo:

a) Pretérito Perfeito do Indicativo

Eu ______________________________

Tu ______________________________

Ele ______________________________

Nós ______________________________

Vós ______________________________

Eles ______________________________

b) Presente do Subjuntivo

Que eu ______________________________

Que tu ______________________________

Que ele ______________________________

Que nós ______________________________

Que vós ______________________________

Que eles ______________________________

"Ele reouve o dinheiro"

Alguns verbos complicados e suas famílias

VOCÊ SABE COMO SE CONJUGA O VERBO "REAVER"?

Como o prefixo "re-" significa "outra vez", para conjugar o verbo "reaver", bastaria, teoricamente, conjugar o verbo "haver" e acrescentar o prefixo. Afinal, é isso que se faz com "refazer", "recalcular", "repensar" e tantos outros em cuja formação entra o prefixo "re-".

Com "reaver" a coisa não é bem assim. Esse verbo é defectivo. No presente do indicativo, esse verbo só apresenta duas formas: "nós reavemos", "vós reaveis".

O problema não é o presente, já visto e revisto. O problema é a conjugação do pretérito, principalmente o perfeito. Muita gente tem vontade de conjugar certos verbos irregulares como se fossem regulares, sobretudo nos pretéritos. E é isso que ocorre com o verbo "reaver". Já ouvi e li muitas vezes algo como "Ela reaveu o dinheiro", "Eu reavi o que perdi", "Eles reaveram os documentos". Essas formas seriam corretas se o verbo "reaver" fosse regular, ou seja, se seguisse a conjugação de verbos como "beber" ("eu bebi", "ele bebeu", "eles beberam") etc. O verbo "reaver" não é regular. É irregularíssimo.

RELEMBRANDO

Verbo defectivo é aquele que não se conjuga completamente, ou seja, aquele que não apresenta todas as formas. "Reaver" só existe nas formas em que o verbo "haver" apresenta a letra "v", por isso seu presente do indicativo se resume a "nós reavemos" e "vós reaveis". É bom lembrar que, nesse tempo, só em "havemos" e "haveis" temos a letra "v" na conjugação do verbo "haver". Presente do indicativo do verbo "haver": "eu hei, tu hás, ele há, nós havemos (ou hemos), vós haveis (ou heis), eles hão".

RELEMBRANDO

Pretérito perfeito é aquele que aprendemos na escola primária simplesmente como "passado": "eu fiz", "eu fui", "eu bebi", "eu vim", "eu vi" etc.

E qual o pretérito perfeito de "haver"? "Eu houve", "tu houveste", "ele houve", "nós houvemos", "vós houvestes", "eles houveram". Estranhou a primeira do singular? "Eu houve"? Igual à terceira ("ele houve")? "Eu" e "ele" do mesmo jeito? Isso não é novidade.

COMO É O PRETÉRITO PERFEITO DE "TRAZER", "SABER", "QUERER" E "DIZER"?

"Eu trouxe"; "ele trouxe"/"Eu soube"; "ele soube"/"Eu quis"; "ele quis"/"Eu disse"; "ele disse". O de "haver" é "eu houve" e "ele houve". Então você pode dizer "Ele houve por bem adiar a reunião". E também pode dizer "Eu houve por bem adiar a reunião".

Já descobriu como é o pretérito perfeito de "reaver"? Se nesse tempo o verbo "haver" tem a letra "v", basta colocar o prefixo "re-". E tirar o "h", é claro. Então vamos lá: "eu reouve", "tu reouveste", "ele reouve", "nós reouvemos", "vós reouvestes", "eles reouveram".

É preciso ter um pouco de coragem e sangue-frio para sair por aí e dizer "Eu reouve o dinheiro". Ou "Ele reouve os documentos". Mas é melhor isso do que um erro grave como o que há em "eu reavi", "ele reaveu", "eles reaveram". O pior é que na imprensa, na televisão e até em rodas de gente letrada isso é bastante comum.

É fundamental lembrar que o pretérito perfeito é tempo verbal primitivo. A raiz desse tempo, que se obtém com a eliminação das três últimas letras da segunda do singular (reouveste-ste = reouve), dá origem a três tempos derivados.

> Conhecendo a conjugação dos tempos verbais primitivos, é mais fácil acertar os demais tempos. São eles: presente do indicativo e pretérito perfeito do indicativo.

Se você apanhar a segunda pessoa do singular do pretérito perfeito de qualquer verbo da língua portuguesa, estará muito perto da chave da conjugação dos tais tempos derivados. E como é a segunda do singular? Vamos lá: "eu fiz", "tu..." Lembrou? "Tu fizeste".

E agora? Para obter a raiz, basta eliminar as três últimas letras, que sempre são "ste". Se pegarmos "vieste", do verbo "vir", teremos a raiz "vie". Se pegarmos "quiseste", do verbo "querer", obteremos a raiz "quise". A raiz de "puseste", do verbo "pôr", é "puse".

Parece papo de louco, não? Que diabo são essas raízes? O que fazer com elas? O que é "puse"? É simples. Você apanha essas raízes e acrescenta as terminações dos benditos tempos derivados. Já sabemos que são três esses tempos. Vamos às contas, finalmente. As terminações são "ra", "sse" e "r", para a primeira pessoa do singular, é claro. Faça as contas: puse+ra = pusera (eu pusera); puse+sse = pusesse (se eu pusesse); puse+r = puser (se eu puser).

Vamos fazer as contas com a raiz do verbo "dar". A raiz é "de" (deste-ste = de). Então de+ra = dera ("Quem me dera!"); de + sse = desse; de + r = der. Essas formas verbais não causam estranheza, causam?

QUEM É QUE NUNCA OUVIU "DER", "DESSE", "DERA", "PUSESSE", "PUSER"?

Por enquanto, não vamos ficar preocupados com os nomes desses tempos verbais. Muita gente se assusta com isso, e não é bom espantar ninguém. Vamos com calma. Vamos à prática, que é o que interessa.

QUANDO SE USAM FORMAS VERBAIS COMO "PUSER", "DER"?

Quando se indica uma hipótese futura, como em "Se você der" ou "Se você puser". Ninguém se surpreende com essas formas, não? E se você quiser usar o verbo "vir" nesse tempo? Volte à raiz desse verbo lá no pretérito perfeito: vieste - ste = vie. E vie + r = vier. Então você diz "Se você vier". Mais um? O verbo "ir". Como é o pretérito perfeito? "Eu fui, tu foste". Foste - ste = fo, e fo + r = for. Daí surge "Se eu for".

Está gostando da descoberta? Está percebendo que existe sistema de conjugação verbal? Então prepare-se. Vamos ver como fica essa brincadeira com o verbo "ver". Sim, "ver", com os olhos.

COMO É O PRETÉRITO PERFEITO DO VERBO "VER"?

Eu ajudo: "eu vi", "tu viste", "ele viu", "nós vimos", "vós vistes", "eles viram". Bem, nem era preciso ir tão longe. Você já sabe que basta a segunda do singular ("tu viste"). Qual é mesmo a conta para obter a raiz? Viste - ste. E qual é o resultado? É "vi". Então a raiz é "vi". Agora você acrescenta "r" e obtém "vir". Quer refazer a conta? Viste - ste = vi; vi + r = vir. Então você deve dizer "Se você vir minha prima", "Se você vir o filme", "Se eu vir seus pais".

Está chocado? É o velho problema: falta de hábito. Pouca gente no Brasil diz "Se eu vir sua prima". A maioria das pessoas diz "Se eu ver sua prima", o que, na língua padrão, está mais do que errado, conforme você acabou de comprovar.

E é isso mesmo: "Quando eu vir seu vestido"; "Quando você vir minha avó"; "Quando eles virem o estrago que fizemos".

"QUANDO MEU BEM-QUERER ME VIR..."

O título deste boxe é uma referência a mestre Chico Buarque. Trata-se da frase que inicia a bela canção "Bem-querer". Chico usou corretamente essa forma do verbo "ver": "Quando meu bem-querer me vir, estou certa que há de vir atrás...".

Aprendemos que esse tempo —o futuro do subjuntivo— é derivado, ou seja, é formado a partir de outro tempo —o pretérito perfeito. Para deixar tudo muito claro, fácil e simples, basta gravar uma dica ultrafuncional para entender a formação desse tempo. Pegue a terceira do plural do pretérito perfeito de qualquer verbo. "Ir", por exemplo. Como é? "Ontem eles foram ao cinema." Agora elimine as duas últimas letras de "foram". O que sobrou? "For": "Quando eu for ao cinema"; "Quando ele for ao cinema".

Deu certo? Faça o teste com qualquer verbo da língua portuguesa. Que tal o verbo "fazer"? "Ontem eles fizeram". De "fizeram" faz-se "fizer": "Quando eu fizer", "Quando ele fizer". Com o verbo "ver" tem-se "Ontem eles viram o filme". E de "viram" faz-se "vir": "Quando você vir o filme", "Quando ele vir o filme".

exercício 19

1- Relacione corretamente a informação da coluna da direita com o item da coluna da esquerda:

a) Intervir
Provir
Sobrevir
Desavir

b) Rever

c) Vier

d) Prever
Rever
Antever

e) Vir

f) Vir
Revir
Previr
Virem
Revirem

g) Ver

h) Prover

i) Reaver

j) Abolir
Explodir
Colorir

l) Adequar
Reaver
Precaver

1. Verbos que só deixam de ser conjugados na primeira pessoa do singular do presente do indicativo e, conseqüentemente, em todo o presente do subjuntivo.

2. Forma do futuro do subjuntivo do verbo "ver".

3. São formas do futuro do subjuntivo.

4. Segue a conjugação do verbo "ver" apenas no presente do indicativo e formas derivadas. Nos demais tempos, é absolutamente regular.

5. Verbos que, no presente do indicativo, só são conjugados na primeira e na segunda pessoa do plural (nós e vós).

6. Significa "ver de novo".

7. Forma do verbo "vir".

8. O seu particípio e o dos seus derivados são irregulares: "visto", "previsto", "revisto".

9. Significa "haver de novo, possuir outra vez, recuperar a posse". Só se conjuga nas formas em que o verbo "haver" apresenta a letra "v".

10. Derivados do verbo "vir" e, portanto, seguem suas conjugações.

11. Seguem a conjugação do verbo "ver".

"Se os preços convierem..."

Os verbos e suas famílias

Agora vamos esticar a nossa conversa para as chamadas "famílias" de verbos, como a do verbo "ter". Que história é essa de família de verbos? Vamos lá.

COMO É O PRESENTE DOS VERBOS "TER", "MANTER", "RETER","OBTER", "DETER", "CONTER" E "PROMETER"?

Você sabe: "Eu tenho", "eu mantenho", "eu retenho", "eu obtenho", "eu detenho", "eu contenho", "eu prometenho"... Epa! Prometenho? Claro que não é "prometenho", é "prometo". O verbo "prometer" termina em "ter", mas não é da família do verbo "ter". Isso significa que não basta a um verbo terminar como outro para ser da família dele. É preciso que siga sua conjugação, como ocorreu com os verbos "manter", "reter", "obter", "deter" e "conter".

O problema é que no presente pouca gente tem dúvida ou se atrapalha. Mas, quando se passa do presente para o pretérito ou para o futuro... É mais do que comum ouvirmos na televisão gente ilustre dizer "O goleiro não deteu a bola", ou "Ele reteu o dinheiro", ou ainda "Ele sempre retia os alunos". O que acontece nesses casos? As pessoas simplesmente declaram a independência desses verbos, conjugando-os como se não tivessem relação com a matriz.

Quando se adota o padrão culto da língua, não se pode esquecer a relação que há entre verbo primitivo e verbo derivado. Assim como você diz "eu mantenho", apoiando-se no verbo "ter" ("eu tenho"), você deve dizer "eu mantive, ele manteve, eles mantiveram", apoiando-se em "eu tive, ele teve, eles tiveram", do verbo "ter", matriz do verbo "manter". Não diga "ele manteu, eles manteram".

VERBO DERIVADO

É o que se forma a partir de outro (primitivo) e segue sua conjugação. Os verbos primitivos e seus derivados formam famílias. "Repor", por exemplo, deriva de "pôr" e, conseqüentemente, segue sua conjugação. Há pelo menos quatro verbos primitivos muito importantes: "pôr", "ter", "ver" e "vir".

Isso não vale só para "manter"; vale para "deter", "conter", "reter", "obter", "entreter", "abster-se". E vale para todos os tempos. Portanto, se você diz "Quando eu tiver calma", ou "Se eu tiver calma", deve dizer "Quando eu mantiver a calma", ou "Se eu mantiver a calma".

Lembre-se do sistema de conjugação: "Ontem eles tiveram sorte"; de "tiveram" faz-se "tiver" ("Quando eu tiver", ou "Se eu tiver"). E de "tiver" faz-se "mantiver, detiver, contiver, retiver, obtiver". Portanto diga "Quando eu obtiver", "Se ele mantiver", "Se os deputados se abstiverem", "Se a barragem não detiver as águas".

VOLTANDO AO VERBO "VER", O QUE SIGNIFICA "REVER"?

"Ver de novo", é claro. Então, para conjugar "rever", basta conjugar "ver" e acrescentar o prefixo "re-": "Quando você vir minha prima", "Quando você revir minha prima". Vá treinando.

Vamos ver outra família, também complicada: a do verbo "pôr". O problema começa na grafia: o verbo "pôr" se acentua, mas seus derivados, não. Nada de acentuar "compor", "repor", "impor", "depor", "propor", "opor" etc.

Se na grafia, especificamente no que diz respeito à acentuação, os "filhos" não seguem o "pai", na conjugação não há escapatória: todos, absolutamente todos os verbos que terminam em "por" seguem a conjugação do verbo "pôr".

Então prepare-se. Se você diz "eu proponho, deponho, imponho, oponho, sobreponho, reponho, componho" –e diz isso sem fazer careta, sem reclamar e sem achar estranho–, ou seja, se você conjuga esses verbos no presente do indicativo tomando como base o verbo "pôr" ("eu ponho"), deve conjugá-los seguindo o verbo "pôr" em todos os tempos.

COMO É MESMO O FUTURO DO SUBJUNTIVO DO VERBO "PÔR"?

"Se você pôr a roupa" ou "Se você puser a roupa"? Você já sabe que a resposta é "puser". E já sabe também por que é "puser". Lembra? Lá vai: "Ontem eles puseram". Eliminam-se as duas últimas letras "am" de "puseram" e obtém-se "puser": "quando eu puser", "quando ele puser". Lembrou? Isso vale para todos os verbos da língua.

Se o futuro do subjuntivo do verbo "pôr" é "puser", como é o de "propor"? É "propuser" ("Se eu propuser"), assim como o de "impor" é "impuser" ("Se ele impuser respeito"). E o de "opor" é "opuser": "Se ninguém se opuser".

Já vi muito problema de matemática apresentar a seguinte observação: "Se você supor x=y". Impossível. Não há resposta para a equação. O problema só tem resposta se a observação for "Se você supuser x=y". "SUPUSER"?

Sim, é "supuser" mesmo. O verbo "supor" deriva de "pôr".

Para terminar, vamos à última família, a do verbo "vir". Que verbos derivam dele? "Intervir", "convir", "provir", "advir", "desavir", por exemplo.

"DESAVIR"?

O que significa isso? Vamos aos dicionários: "suscitar discórdia, discordar, indispor-se". O verbo "desavir" não faz você pensar em "desavença"? E o que é uma desavença? É um desentendimento. Faz sentido, não?

Muito bem. Vamos à conjugação dos verbos dessa família.

COMO É O PRESENTE DE "VIR"?

"Eu venho", todos sabem. E sabem que o presente de "intervir" é "eu intervenho". Até aí, tudo bem. Vamos ao pretérito perfeito, aquele que aprendemos no primeiro grau como "passado".

"ONTEM EU VIM", CERTO?

Então "Ontem eu intervim". Sim, "intervim": "Eu intervim na briga". E ele? Se você diz "ele veio", deve dizer "ele interveio": "A polícia interveio na briga". É, mas é muito comum ligar a televisão ou o rádio e ouvir "A polícia interviu". Nada de "interviu".

E, se você diz "eles vieram", deve dizer "intervieram": "Os policiais intervieram".

Não é preciso dizer que o futuro de "intervir" também segue o de "vir": "Quando ele vier aqui", "Quando ele intervier na questão". Também não é preciso dizer que nos meios de comunicação é mais do que comum ouvir algo como "Se o governo não intervir imediatamente".

Então, de hoje em diante, só compre se o preço "convier". Ou "se os preços convierem". O verbo "convir", parente direto do verbo "vir", deve ser conjugado exatamente como o verbo "vir": "Se ele vier", "Se o preço convier".

exercício 20

1- Circule as conjugações corretas dos verbos "deter", "reter" e "manter" para completar as frases a seguir:

a) Se o delegado __________ o acusado, o advogado tentará libertá-lo.

b) Se ele __________ o carro para averiguação, ficarei sem condução.

c) Se ela __________ a calma, será melhor para todos.

reter	tenho	contenho	detenho
retenho	obtenho	manter	retiver
tive	contive	retive	obtive
deto	deter	detiver	tinha
continha	detinha	retinha	obtinha
rete	mante	teve	conteve
deteve	reteve	obteve	tivesse
mantiver	detivesse	contivesse	retivesse
obtivesse	tiver	contiver	contiver
obtiver	teria	mantivesse	deteria

2- Agora, circule as conjugações dos verbos "expor", "compor" e "impor" para completar as frases abaixo:

a) Se Murilo __________ na Bienal, fará um enorme sucesso.

b) Se você __________ uma música, ela certamente ficará lisonjeada.

c) Se a mãe não __________ respeito, ele não terá jeito.

expuser	pus	propus
expus	supus	depus
puseram	propuseram	expuseram
supuseram	depuseram	pusesse
compuser	propusesse	expusesse
supusesse	depusesse	puser
propuser	impor	supuser
depuser	puserem	impuser
propuserem	expuserem	supuserem
depuserem	compor	expor

A saudade, as costas, as férias...

Singular e plural

Alguns leitores me perguntam sobre o plural de palavras como "ciúme" e "saudade". É mais do que sabido que essas palavras muitas vezes aparecem no plural. Na célebre canção "Detalhes", de Roberto e Erasmo, há um trecho que diz: "E isso lhe trouxer saudades minhas, a culpa é sua".

LEMBRA-SE DISSO?

Pois bem. "Saudade" e "ciúme" são substantivos abstratos.

SUBSTANTIVO ABSTRATO

É uma das tantas coisas que muitos professores de português ensinam do jeito que o diabo gosta.
Lembra-se daquela história maluca de "concreto é aquele que dá para pegar; abstrato é aquele que não dá para pegar"? Puro absurdo! Não é nada disso. Substantivo abstrato é aquele que dá nome a ações ("doação", "esforço"), sentimentos ou sensações ("amor", "fé", "paixão", "dor"), qualidades ("beleza", "inteligência", "rapidez") e estados ("cegueira", "imobilidade").
A palavra "abstrato" é da mesma família do verbo "abstrair", sinônimo de "separar".
A beleza é um conceito abstrato porque pode ser abstraída, separada do objeto ou do ser que são belos. A beleza não está só naquele objeto ou só naquele ser.

No caso de "ciúme" e "saudade", temos nomes de sentimentos, ou seja, substantivos abstratos. Agora pense. Você normalmente coloca no plural esse tipo de palavra?

JÁ PÔS NO PLURAL "RAIVA", "ÓDIO", "INVEJA"?

Acho que não. Mas já pôs no plural "dor", "amor", "rancor", não pôs? Então parece não haver muito problema com "saudades" e "ciúmes", desde que os respectivos artigos também sejam colocados no plural: "os ciúmes", "as saudades".

E é aí que está o xis do problema. As pessoas andam dizendo (e até escrevendo) "o ciúmes", "a saudades". Evite. É claro que você pode muito bem usar esses substantivos no singular: "o ciúme", "a saudade", que para muitos são as formas mais adequadas.

Caetano Veloso compôs uma obra-prima cujo título é justamente "O Ciúme". Ouça-a. É belíssima. O mestre optou pelo singular e manteve artigos, pronomes e verbos no singular: "O meu ciúme"/"O ciúme lançou sua flecha preta e se viu ferido justo na garganta".

O PLURAL DE CORRIMÃO

A palavra "corrimão" resulta de correr+mão. O plural é duplo: pode ser "corrimões" ou "corrimãos". Outra que admite dois plurais é "anão": "anãos" ou "anões".

Já casos como o da palavra "costa" são bem diferentes. "A costa" pode ser o litoral –que é a porção de terra banhada pelo mar–, ou o próprio mar que banha o litoral, ou seja, o mar próximo da terra: a costa do Brasil, a costa do Rio de Janeiro.

Já "as costas" são a parte posterior do corpo humano: sentir dor nas costas.

Com "féria" e "férias" acontece algo semelhante. "Féria", no singular, é o montante que se arrecada durante um certo período numa casa comercial: "a féria do dia", "a féria do mês".

IMAGINO NÃO SER NECESSÁRIO EXPLICAR O QUE SIGNIFICA A PALAVRA "FÉRIAS", NO PLURAL.

JÁ PENSOU ONDE VOCÊ VAI PASSAR AS SUAS PRÓXIMAS FÉRIAS?

Há palavras que só se usam no plural, como "núpcias" e "víveres". "Fezes", "pêsames", "óculos" e "parabéns" até possuem formas do singular, mas ninguém as emprega, nem teria coragem de empregá-las. Apesar de a forma "parabém" estar nos dicionários, você teria coragem de dizer a alguém "Meu parabém pelo que você conquistou"? Diria "Manifesto meu pêsame pela morte dele"? Esses substantivos são normalmente empregados no plural, mas –por favor!– com pronomes e artigos no plural: "estes óculos", "meus óculos", "os óculos", "meus parabéns", "os parabéns".

OUTROS PLURAIS POLÊMICOS

QUAL O PLURAL DE "GRAVIDEZ"?

Dizem os dicionários que "gravidez" é o "estado da fêmea e particularmente da mulher durante a gestação". Se "grávida" e "prenhe" são sinônimos, "gravidez" e "prenhez" também o são. E há ainda o termo técnico "ciese".

É mais do que simples, como o de qualquer palavra terminada em "z": "luz/luzes", "raiz/raízes", "juiz/juízes", "prenhez/prenhezes", "gravidez/gravidezes". O de "avestruz" só pode ser "avestruzes".

E O PLURAL DE "JÚNIOR"?

As palavras terminadas em "r" fazem o plural com o simples acréscimo de "es". O plural de "mulher" é "mulheres", o de "mártir" é "mártires", o de "mar" é "mares". Com "júnior" não poderia ser diferente. Basta acrescentar "es". O problema é que ocorre deslocamento da vogal tônica, que deixa de ser "u" e passa a ser "o". Leia "juniOres", com força no "o", fechado, como o "o" de bolha.

SERÁ QUE PARA "QUALQUER" TAMBÉM VALE A REGRA DO ACRÉSCIMO DE "ES" PARA AS PALAVRAS QUE TERMINAM EM "R"?

Não. O caso de "qualquer" é particular. Essa palavra é composta ("qual" + "quer") e seu plural, "quaisquer", leva em conta exatamente seu processo de formação: o plural de "qual" é "quais"; "quer" é verbo e não tem plural. "Não leia livros quaisquer"; "Não ande com pessoas quaisquer".

E O DE "DEGRAU"?

Plural de palavras terminadas em "al" é feito com a terminação "ais". O plural de "general" é "generais"; o de "especial" é "especiais"; o de "geral" é "gerais". E o plural de palavras em "au"? Nada de "ais". Basta acrescentar "s". O plural de "grau" é "graus"; o de "nau" é "naus"; o de "pau" é "paus". Como o som de "al" acaba se igualando ao de "au", muita gente se confunde e erra, por exemplo, o plural de "degrau". Basta acrescentar "s": "degraus". Nada de "degrais".

QUAL O PLURAL DE "ÁLCOOL"?

É "álcoois". Note que a sílaba tônica se mantém, ou seja, a palavra continua sendo proparoxítona. O dicionário Aurélio recomenda que, na pronúncia, o último "o" seja aberto. Vale a pena lembrar que essa palavra é uma das tantas de origem árabe que há na nossa língua.

exercício 21

1- Escreva ao lado das palavras abaixo os seus respectivos plurais. Algumas palavras podem admitir mais de uma forma de plural.

Casa: ______________________ Gás: ______________________

Herói: ______________________ Mês: ______________________

Mãe: ______________________ País: ______________________

Balão: ______________________ Atlas: ______________________

Eleição: ______________________ Pires: ______________________

Vozeirão: ______________________ Lápis: ______________________

Órfão: ______________________ Ônibus: ______________________

Cidadão: ______________________ Vírus: ______________________

Mão: ______________________ Barril: ______________________

Alemão: ______________________ Funil: ______________________

Cão: ______________________ Projétil: ______________________

Pão: ______________________ Réptil: ______________________

Verão: ______________________ Abdômen: ______________________

Anão: ______________________ Hífen: ______________________

Homem: ______________________ Tórax: ______________________

O francês no português

Estrangeirismos 1

É mais do que sabido que a moda é empregar palavras ou expressões inglesas sempre que aparece uma palavrinha da terra da rainha Elisabeth. E, na verdade, não é a Inglaterra a responsável por isso. Com sua inegável força econômica e política, os Estados Unidos impõem ao mundo o idioma inglês.

PROJETO DE LEI

No dia 9 de agosto de 2000, a Comissão de Educação da Câmara deu parecer favorável ao projeto de lei que proíbe o uso de expressões estrangeiras no trabalho, nas relações jurídicas, na expressão oral, escrita, audiovisual e eletrônica oficial, em eventos públicos, na mídia, na produção, no consumo e na publicidade de produtos e serviços. Será considerado prática abusiva o emprego de palavra ou expressão que possuir equivalente em língua portuguesa. O projeto, no entanto, admite o uso de palavras ou expressões estrangeiras já registradas pelo "Vocabulário Ortográfico da Língua Portuguesa", da Academia Brasileira de Letras. Assim, palavras como *copyright, pizza, jeans, slide* e mesmo termos da informática continuariam a vigorar.

Shopping center, know-how, outdoor, layout, hobby, happy end, happy hour, happening, marketing são apenas algumas dos milhares de palavras e expressões inglesas que se usam correntemente no Brasil e no mundo. Algumas pessoas exageram e empregam esses termos em situações completamente descabidas. Ao comentar a situação de sua equipe —o Corinthians— nas finais do Campeonato Paulista de 98, o treinador de futebol Wanderley Luxemburgo disse que "num campeonato *short* como este...".

VOCÊ SABE O QUE É UM CAMPEONATO *SHORT*?

Short significa "curto, breve". Aliás, é por isso que chamamos calção de *short*. Mas, francamente, usar esse termo como o fez Luxemburgo é de lascar.

Também não fica atrás um ex-apresentador de TV que adorava dizer que "tivemos um pequeno *delay* na transmissão". *Delay* é atraso. Haja estômago para agüentar tanta bobagem!

Quem também freqüentou esse terreno tenebroso do uso descabido do inglês foi o locutor Galvão Bueno. Num dos grandes prêmios de

Fórmula 1, Galvão repetiu à exaustão a palavra *approach*. "O *approach* da curva", disse várias vezes o locutor. Felizmente, ele se curou rapidamente. Faz tempo que desistiu de empregar a pérola.

E O QUE É *APPROACH*?

É a aproximação, que, no caso de uma corrida de automóveis, acaba tendendo a significar "tomada" (a tomada de curva). O problema é que noventa e nove em cada cem brasileiros desconhecem isso. E aí o comunicador, cuja função é comunicar, simplesmente não comunica.

É ingênuo pensar que uma língua deve ou pode ficar completamente a salvo de expressões estrangeiras. Muitas delas são necessárias, pela falta de uma da língua nativa que traduza com a mesma síntese o sentido desejado. É o caso de *dumping*, palavra inglesa que se usa no jargão econômico —o chamado economês. *Dumping* significa a venda de determinado produto abaixo do preço de custo. Essa tática é adotada por empresas fortes para quebrarem o concorrente mais fraco, que não tem "gás" para acompanhar a briga. Qual é a palavra portuguesa que traduz isso? Seria necessário usar uma expressão longa, algo como "venda abaixo do custo".

AINDA SOBRE O PROJETO DE LEI

A julgar pela justificação anexada ao projeto, no entanto, termos derivados como *startar, printar, inicializar, atachar*, freqüentemente usados pelos "internautas", não são vistos com complacência pelos defensores da proposta. Entre outros casos a que não se aplica a lei, está o de uso de termos ou expressões de origem estrangeira em razão social, marca ou patente constituída.
O projeto determina ainda que "toda e qualquer palavra ou expressão em língua estrangeira posta em uso no território nacional ou em repartição brasileira no exterior a partir da data da publicação desta lei, ressalvados os casos excepcionados nesta lei e na sua regulamentação, terá que ser substituída por palavra ou expressão equivalente em língua portuguesa no prazo de 90 dias (...)".

E O FRANCÊS? ONDE ENTRA NESTA HISTÓRIA?

É simples. Hoje a moda é a terra de Tio Sam —e tudo que vem de lá. Mas a moda já foi a França. Até o começo do século XX, o "chique" era falar francês, cultivar a cultura francesa. A glória era poder mandar os filhos para a França, a fim de que lá estudassem. Sabe-se que no Rio de Janeiro, por exemplo, as famílias mais tradicionais conversavam em francês. O português era a língua para a comunicação com a criadagem.

É claro que disso tudo ficou uma herança muito grande, bem maior do que a que se imagina.

VOCÊ FALA FRANCÊS, SABIA?

Eu mesmo usei uma palavra francesa anteriormente ("chique"). Anote outras: *filé*, *gripe*, *crochê*, *toalete*, *abajur*, *ateliê*, *avalancha*, *balé*, *carnê*, *avant-première*, *chance*, *personagem*, *gabardina*, *vitrina*, *frisson*, *capô*, *charge*, *chassi*, *clichê*, *brevê*, *bidê*, *bijuteria*, *boate*, *garçom*, *glacê*, *culote*, *enquete*, *camuflagem*, *maquiagem*, *bufê*, *cachê*, *purê*, *matinê*, *guidão*, *reveillon*, *rinsagem*, *ruge*, *valise*, *vernissage* etc.

"GARAGE" OU "GARAGEM"?

Nélson Piquet apareceu na televisão como estrela de uma propaganda da BMW. Elegante, sem comer nenhum "s" (acerta o plural de dólar —dólares), o tricampeão termina o texto sugerindo que o potencial cliente tire o carro do sonho e o coloque na garag... Parece que ele diz "garage", palavra francesa. O "Aurélio" registra as duas formas, mas a maioria dos autores dá como preferencial a forma "garagem".

"O PERSONAGEM" OU "A PERSONAGEM"?

Esse termo sempre suscita dúvidas: masculino ou feminino? De origem francesa, a palavra tem sido usada tanto no masculino quanto no feminino.

Percebeu que, talvez sem saber, você fala francês? Claro que estou exagerando. O que quero é mostrar que há muitas e muitas palavras francesas no nosso dia-a-dia. Umas mais usadas do que outras, todas essas vieram de lá e a maior parte delas se acomodou ao nosso sistema ortográfico, ou seja, demos a elas grafia de acordo com o sistema gráfico da língua portuguesa.

Repito: a incorporação de palavras estrangeiras é parte do processo natural de evolução de uma língua, sobretudo quando se trata de línguas de países que mantêm algum tipo de relação. E é esse o caso de Brasil e França.

"CHAMPAGNE" OU "CHAMPANHE"?

Na França, há uma região chamada "Champagne", com "gn", em francês. O som que o grupo "gn" tem em francês (e em italiano, também) corresponde ao do nosso grupo "nh". Pois bem. Nessa região se faz a famosa bebida, que, por motivos óbvios, recebe o nome do lugar em que é feita. Em português, esse espumante ganhou duas terminações, mas sempre com "nh": "champanhe" ou "champanha". Gelado, é claro. Saúde!

exercício 22

1- Na sua opinião, que palavras estrangeiras já estão definitivamente incorporadas ao português? Fizemos essa pesquisa no final de 2000, tomando como base o projeto de lei do deputado Aldo Rebelo, que, entre outras disposições, proíbe a utilização de palavras estrangeiras no país.

No site www.nossalinguaportuguesa.com.br, você tem acesso à íntegra do projeto e à opinião do professor Pasquale sobre o assunto. E mais: está lá o resultado da pesquisa. De qualquer forma, você ainda pode mandar a sua contribuição para a seção "Na boca do povo", e ela será publicada.

Aguardamos a sua participação!

"O senhor pode estar enviando um fax?"

Estrangeirismos 2

Já tratei neste livro da presença estrangeira em nossa língua. Critiquei —e nunca deixarei de criticar— o uso desnecessário e tolo de palavras e expressões estrangeiras.

E O QUE É O USO TOLO?

O *short* que o treinador Wanderley Luxemburgo usou durante uma das partidas decisivas de um dos últimos campeonatos paulistas é ótimo exemplo: "Num campeonato *short* como este...".

QUE DIABOS É UM CAMPEONATO *SHORT*?

Aposto que 99% das pessoas que o ouviram não sabem que isso significa "curto".

O intragável *delay* (que um ex-apresentador da TV Bandeirantes adorava empregar) é outro exemplo de uso tolo: "Tivemos um pequeno *delay* na transmissão".

DELAY? QUE TAL "ATRASO"?

Nas instruções de uso da saboneteira do banheiro de um centro comercial, lê-se *push*. Batata! As pessoas puxam a pequena alavanca e nada de sabão.

Push, palavra inglesa, não significa "puxar". *Push* é "empurrar", "pressionar".

Francamente, não me parece necessário dar em inglês a instrução para o uso de uma saboneteira. Alguém pode justificar esse procedimento com o fato de a saboneteira ser importada. E daí? É obrigatório —por lei— traduzir esse tipo de informação.

Pois bem. Às vezes, a influência é mais sutil. Virou moda usar expressões como "O senhor pode estar enviando um fax?", ou "Nós vamos estar providenciando", ou ainda "Não pude estar comparecendo".

O QUE É ISSO, MEU DEUS?
QUE HISTÓRIA É ESSA DE "VAMOS ESTAR PROVIDENCIANDO"?

Suponho —posso estar enganado— que isso seja influência inglesa. Talvez seja a tradução quase literal de frases como "*I will be sending*", ou "*We will be asking*", que, ao pé da letra, equivalem a "Estarei enviando" e "Estaremos pedindo (ou "perguntando")", respectivamente.

Como no Brasil não são comuns formas como "estarei", "estaremos" —em seu lugar usam-se as formas "vou estar", "vamos estar"—, na mão de alguns tradutores "*We will be sending*" acaba virando "Nós vamos estar enviando".

FUTURO DO PRESENTE

Em quase 100% dos verbos da língua portuguesa, este tempo é regular. Basta apanhar o infinitivo e acrescentar as terminações "ei, ás, á, emos, eis, ão". Vejamos, como exemplo, o verbo "beijar": "beijarei, beijarás, beijará, beijaremos, beijareis, beijarão". Os verbos "trazer", "fazer", "dizer" e derivados seguem o esquema, mas perdem a sílaba "ze": "trarei, trarás..."; "farei, farás..."; "refarei, refarás..."; "direi, dirás..."; "desdirei, desdirás..."

Pronto! Bastou alguém com ares de erudição traduzir ao pé da letra uma expressão legítima e comum em inglês para que a praga pegasse em português. O pior é que esse tipo de frase passa uma incrível impressão de coisa nobre, refinada. É preciso falar assim para estar na moda.

Uma amiga telefonou para uma administradora de cartões de crédito e ouviu da atendente esse tipo de frase umas duzentas mil vezes ("Vamos estar providenciando", "Vamos estar verificando", "A senhora vai estar recebendo", "O computador vai estar emitindo", "O banco vai estar cobrando" etc., etc., etc.). No fim, enjoada —enjoadíssima, com o estômago embrulhado, em estado de indigestão, pré-congestão— , minha amiga ouviu a seguinte pergunta: "A senhora pode estar enviando uma cópia do extrato?". Irônica, respondeu: "Estar enviando eu não posso, mas enviar eu posso". A moça não entendeu a ironia. "Como?", perguntou, atônita.

O problema é que a maioria das pessoas alimenta a velha idéia de que em língua formal basta dizer algumas palavras e expressões "difíceis" para que o discurso seja bom. Para variar, não se pensa no verdadeiro xis da questão, que é a ordenação das idéias, o pensamento lógico, a estrutura clara, a correção gramatical, a linguagem adequada.

Voltando ao "vamos estar enviando". Se você trabalha com o público, preste atenção. Veja se também não se rendeu à tentação. Se o fez, pare para pensar. Em vez de "Vamos estar providenciando", "Vou estar solicitando", "O senhor pode estar enviando um fax?", que tal a velha e boa estrutura típica do português do Brasil: "Vou solicitar", "O senhor pode enviar um fax?", "Vamos providenciar"?

POR QUE EU DISSE "PORTUGUÊS DO BRASIL"?

No Brasil não é comum o futuro do presente. Não temos o hábito de dizer "faremos". Dizemos mesmo "vamos fazer". Na verdade, uma frase como "Vamos estar enviando" poderia ser resumida em "Enviaremos". "Vamos enviar" é a construção mais comum entre nós. "Vamos estar enviando" é dose! É o rococó do rococó.

exercício 23

1- Olá, sou José Carlos da Silva, de Itumbiara, interior de Goiás. Esses dias recebi uma oferta de emprego em São Paulo, para trabalhar com meu irmão. Ajudem-me! Não entendi bulhufas desta carta e talvez esteja perdendo uma grande oportunidade. Reescrevam-na para mim, substituindo os termos estrangeiros pelos equivalentes portugueses ou aportuguesados.

"Querido irmão:

Eu já adquiri um certo status por aqui, fui promovido a executive manager no mês passado, e agora tenho um emprego para você. A única vaga disponível requer know-how em informática.

Não é complicado, você só precisa saber startar um programa que utilizamos para fazer downloads de arquivos e deletar arquivos antigos. Parece light, mas pode causar um certo stress, pois o trabalho é full time. Você tem sorte, pois agora, quando temos um black-out, os geradores dão conta do recado; no meu tempo perdia-se tudo. Você terá bônus mensal, que será pago em cash, ficará hospedado em um flat, num prédio cujo hall é maior que a nossa casa. Isso, graças ao lobby de empresas que eu trouxe para trabalhar conosco.

Pois é, meu irmão, sei que você pode se dar bem. Tenho um certo feeling para isso. Sua passagem chegará pelo correio; reservei uma business class para você, fora do horário de rush. É só ir para o aeroporto e fazer o check-in.

Te aguardo, abraços para todos.

Thomas.

PS. Se tiver um money sobrando, passe no free-shop do aeroporto e compre um CD do Raul Seixas para mim. Sei que é meio flashback, mas eu adoro."

A maior parte dos estrangeirismos utilizados na carta de Thomas pode ser facilmente substituída por palavras mais adequadas à nossa língua portuguesa.

2- Agora, vamos nos divertir um pouco, tentando substituir os estrangeirismos a seguir, que praticamente já estão incorporados ao nosso vocabulário. Use a imaginação e... divirta-se. Pizza, por exemplo, seria substituída por "disco de massa com queijo e molho de tomate"... Já pensou?

a) Short
b) Pizza
c) Jeans
d) Fax
e) Abajur
f) Handebol
g) Trailer
h) Batom
i) Bidê
j) Chá
l) CD (compact disc)
m) Freezer
n) Milk shake
o) Hambúrguer
p) Purê
q) Xampu
r) Shopping center
s) Show
t) Sutiã
u) Spray
v) Surfe
x) Video game
z) Tênis

"Desce uma"

Advérbios

Você deve se lembrar de uma propaganda da cerveja Skol, em que apareciam dois times de futebol (Skol e Não Skol). A chave da propaganda era a frase "A cerveja que desce redondo".

Descontada a falta de hífen no nome do segundo time —deveria ser "Não-Skol"—, o texto publicitário nos leva a uma discussão interessante: é correto o uso da palavra "redondo"?

Você sabe que de "sério" se faz "seriamente", de "tranqüilo" se faz "tranqüilamente", de "violento" se faz "violentamente". Um homem "sério" age "seriamente"; um cidadão "tranqüilo" responde "tranqüilamente"; um jogador "violento" disputa "violentamente". O que você notou nesses casos?

Que, quando se modifica o substantivo, emprega-se o adjetivo. Tradução: para qualificar os substantivos "homem", "cidadão" e "jogador", empregaram-se os adjetivos "sério", "tranqüilo" e "violento", respectivamente.

NÃO-SKOL

A grafia correta seria "Não-Skol", porque nesse caso o "não" tem valor de prefixo. É como se fosse um "des" ou "in". Sempre que isso ocorrer, emprega-se o hífen: "Os não-fumantes rebelaram-se por não haver área específica para eles no restaurante".

"MINI-CONSTITUINTE" OU "MINICONSTITUINTE"?

Freqüentemente é discutida a tese da minirreforma constitucional. Notou como foi grafada a palavra "minirreforma"? Com "rr". Será que o professor endoidou? Não. "Mini" (elemento de composição, de origem latina) significa "pequeno" e sempre se une à palavra seguinte sem hífen: "miniusina", "minirretrospectiva" (com "rr"), "minissaia" (com "ss").

Você deve ter notado também que, quando se modifica verbo, emprega-se o advérbio. Tradução: para caracterizar o modo de agir, o modo de responder e o modo de disputar, empregaram-se, respectivamente, os advérbios "seriamente", "tranqüilamente" e "violentamente".

ADVÉRBIO

Palavra que caracteriza o processo verbal, indicando as circunstâncias nas quais esse processo se desenvolve: "Ela se irritou *seriamente* com ele". A caracterização pode ser descritiva, por meio de uma representação objetiva da realidade: "Afinal, estavam todos *profundamente* concentrados quando foram interrompidos por José". Pode também ser subjetiva: "Ele agiu *morbidamente*". Os advérbios modificam verbos, adjetivos e advérbios: "Aquela seria a atitude mais adequada para quem se diz eticamente irrepreensível". Nessa frase, o advérbio "mais" modifica o adjetivo "adequada"; o advérbio "eticamente" modifica o adjetivo "irrepreensível". Em "Ela agiu muito bem", o advérbio "muito" modifica o advérbio "bem".

ESSA É A REGRA, ESSA É A NORMA, ESSE É O PADRÃO. É MESMO O PADRÃO?

SERÁ QUE SEMPRE SE RESPEITA ISSO?

SERÁ QUE VOCÊ DIZ QUE ALGUÉM FALA "ALTAMENTE"?

VOCÊ JÁ OUVIU ALGUÉM DIZER ISSO?

JÁ OUVIU ALGUÉM DIZER QUE PAGOU "CARAMENTE" PELA MERCADORIA?

É aí que está o xis da questão. Existe em língua um processo pelo qual se muda a classe gramatical de uma palavra. No casos citados, o que se usa mesmo é "falar alto" e "pagar caro". "Alto" e "caro", que normalmente são adjetivos, acabam virando advérbios, já que modificam verbos ("falar" e "pagar").

"MAIS INFORMAÇÕES" OU "MAIORES INFOMAÇÕES"?

Você certamente já leu ou ouviu —sobretudo em propagandas— a expressão "Maiores informações": "Para maiores informações, ligue para o número tal". Na verdade o leitor (ou ouvinte) quer outras informações, mais informações, maior quantidade de informações, e não informações maiores, de tamanho maior. É melhor dizer "mais informações", ou "outras informações".

Na antológica "Chão de Estrelas", de Sílvio Caldas e Orestes Barbosa, há um trecho da letra que diz: "Meu barracão no Morro do Salgueiro tinha o cantar alegre de um viveiro". Você diria que nessa frase "cantar" é verbo? Não. Note que antes de "cantar" aparece o artigo "o", que transforma "cantar" em substantivo: "o cantar de um viveiro" corresponde a "o canto de um viveiro".

Acontece o mesmo processo na também antológica "Travessia", música de Milton Nascimento e letra de Fernando Brant. Fernando escreveu "Quando você foi embora, fez-se noite em meu viver". É claro que "viver" deixou de ser verbo e passou a ser substantivo. "Em meu viver" corresponde a "em minha vida".

Esse processo também se verifica quando se transforma substantivo em adjetivo, como em "manifestação monstro", "menino prodígio". Em tese, "monstro" e "prodígio" são substantivos, mas passam a adjetivos nos casos citados.

Por tudo que vimos até agora, a frase da cerveja é correta ("A cerveja que desce redondo").

MAS O QUE DEVERIA SER FEITO SE SE SEGUISSE RIGOROSAMENTE O PRINCÍPIO GRAMATICAL?

Se o que se quer é modificar o ato de "descer" —verbo—, a norma manda usar um advérbio, que no caso é "redondamente": "A cerveja que desce redondamente". Que tal? Nenhum publicitário aprovaria isso. E a frase é mesmo um pouco estranha, apesar de ultracorreta e talvez mais expressiva. "Rápido" e "rapidamente" são casos semelhantes.

PODE-SE DIZER "ELA FAZ TUDO RÁPIDO", OU "ELA FAZ TUDO RAPIDAMENTE"?

O QUE VOCÊ ACHA MAIS EXPRESSIVO, MAIS FORTE?

Em linguagem formal, sem dúvida o advérbio propriamente dito é mais expressivo, ou seja, é aconselhável o emprego de "rapidamente". Na fala —e a propaganda se aproxima muito disso— , é muito mais provável que se use o adjetivo com valor de advérbio ("Ela faz tudo rápido").

exercício 24

1- Troque as locuções adverbiais destacadas abaixo por advérbios terminados em "–mente":

a) Ela sempre faz tudo *com afeto.*

b) Comunicam-se *sem palavras.*

c) Faço tudo para Pedro *com prazer.*

d) Patrícia agiu *sem piedade* com Miguel.

e) Ela nunca agiu *com pudor.*

f) *Sem dúvida,* ele é muito interessante.

g) Elaborei a proposta *aos poucos.*

h) Exponha seu ponto de vista *com nitidez.*

2- Substitua as expressões destacadas por advérbios.

a) *Por qual motivo* você a despreza tanto?

b) Mande-a botar essa tralha em *outro lugar.*

c) *Neste lugar* existe muito barulho.

3- Agora, troque os advérbios terminados em "–mente" destacados abaixo por locuções adverbiais:

a) Ela sempre alega agir *ingenuamente.*

b) Ele conduziu o processo *habilmente.*

c) Receberam-nos *ruidosamente.*

d) Mariana sempre age *insensatamente.*

e) Paulo me cumprimentou *friamente.*

f) *Repentinamente,* Ana partiu.

g) Lutava por aquele ideal *intensamente.*

h) Encontramo-nos *freqüentemente.*

4- Classifique as palavras destacadas nas frases seguintes.

a) Henrique está *meio* chateado?

b) Ainda não ficou pronto porque estão todos *meio* atrapalhados.

c) Pratico esportes *melhor* do que trabalho.

A morte é mesmo "súbita"?

Algumas palavras e expressões de sentido duvidoso usadas com sentido alterado

O futebol é mesmo uma "caixinha de surpresas". Não param de surgir expressões daquilo que os locutores esportivos de antigamente (que saudade!) chamavam de "esporte bretão". Também são muitas as confusões que surgem do "esporte das multidões".

Podemos começar pela própria palavra "bretão". Há controvérsias quanto à origem do futebol, mas a tese mais aceita é que o esporte foi criado pelos ingleses. A Inglaterra faz parte da Grã-Bretanha, o que nos faz supor que o esporte é "bretão" justamente porque é da Grã-Bretanha. Epa!

MAS O ADJETIVO RELATIVO À GRÃ-BRETANHA NÃO É BRITÂNICO?

No dicionário "Aurélio", encontra-se no verbete "bretão": "1. De, ou pertencente ou relativo à Bretanha (França). 2. O natural ou habitante da Bretanha. 3. O idioma desta província francesa". O dicionário também diz que o feminino é "bretã".

Xi! E agora? Se o esporte é da Grã-Bretanha, como pode ser "bretão", se "bretão" é da Bretanha, região da França? Que confusão! É por isso que em qualquer caso é sempre bom consultar mais de um especialista. O velho dicionário de Caldas Aulete informa que "bretão", além de ser tudo o que diz o "Aurélio", também é equivalente a "britânico", ou seja, relativo à Grã-Bretanha. Pronto! O esporte "bretão" é "bretão" mesmo.

POR FALAR EM CONFUSÃO, QUE TAL "MORTE SÚBITA"?

Vamos de novo ao "dicionário Aurélio". "Súbito" é "o que ocorre ou surge sem ser previsto; repentino, inesperado". Pela nova regra do futebol, na chamada prorrogação, o assunto estará liquidado no exato instante em que um dos times marcar um gol. O que sofre o gol "morre subitamente". Ora bolas! É óbvio que já se sabe que a qualquer momento um dos dois pode morrer. Então a morte não é tão súbita assim.

Numa transmissão, quando o árbitro encerrou o tempo regulamentar, um locutor esportivo disse: "Agora vamos para a prorrogação, com direito à morte súbita". Cruz-credo! Que eu saiba, quando se fala em direitos, fala-se do que —teoricamente, pelo menos— é bom, traz o bem para quem tem os tais direitos. Direito à morte súbita é muito masoquismo.

O GRANDE NÉLSON RODRIGUES

Ele chamava de "idiotas da objetividade" os que tentam transformar o futebol em algo lógico. Em respeito ao grande mestre, encerro a tentativa de discutir a lógica da expressão "morte súbita". Mas que a expressão não tem lá muito nexo ninguém pode negar.

E OS "DESCONTOS"?

"O GOL FOI MARCADO NOS DESCONTOS", DIZEM OS LOCUTORES ESPORTIVOS. O ÁRBITRO DESCONTA OU ACRESCENTA?

Isso me faz lembrar a famosa expressão "achados e perdidos", nome que se dá à repartição — que existe em órgão públicos, como correio, metrô etc— em que as pessoas procuram o que perderam. Ué?! Primeiro se acha e depois se perde? Que eu saiba, primeiro se perde e depois, com a graça de Deus, acha-se. Mas, de acordo com o nome da repartição, ocorre o contrário. O nome "lógico" seria "Perdidos e achados", como é em outros cantos do mundo, Portugal incluído.

"DE ENCONTRO A"?

Isso me lembra a famosa expressão "de encontro a", que tem sido empregada com valor absolutamente oposto. "De encontro a" indica idéia de oposição. Quando se diz que o carro foi de encontro ao muro, diz-se que se chocou com o muro, que bateu no muro. "Todas as minhas obras vão de encontro aos desejos do povo" é frase comum na boca de políticos e revela que entre o que o tal político faz e o que o povo quer há oposição. Só assim alguns políticos conseguem ser sinceros. Para dizer que as obras favorecem a população, o cidadão deveria dizer que as obras vão ao encontro do desejo do povo.

Mas, voltando ao futebol, e os descontos? O árbitro não desconta nada. Cada tempo deve terminar aos 45 minutos, mas o árbitro pode acrescentar os minutos que julgar necessários. Então ocorrem acréscimos, e não descontos.

A língua oral é cruel. Falou, tá falado. Não existe volta, não existe remédio. O melhor mesmo é a prevenção, tentar evitar os cochilos. No caso dos locutores esportivos, uma boa dose de profissionalismo —não se deixar levar pela emoção extrema— poderia evitar situações que muitas vezes chegam perto do vexame.

Como estamos falando de futebol, uma boa discussão:

DA PRÓXIMA VEZ QUE O BRASIL GANHAR A COPA DO MUNDO, SEREMOS REALMENTE PENTACAMPEÕES?

Muita gente boa jura que o Brasil não pode ser penta, simplesmente porque as conquistas não são seguidas. Será? Se "penta", de origem grega, significa "cinco", pentacampeão é quem ganha cinco vezes. Se são seguidas ou não, são outros quinhentos.

DEPOIS DE "PENTA", O QUE VEM?

Vem o "hexa": hexacampeão. Como você leu o "x"? Se leu como o de "exame", errou. Se leu como o de "máximo", também errou. Se leu como o de "lixo", mais um erro. Se leu como o de "fixo", acertou. Ufa! A pronúncia correta é "hecsacampeão". O polígono de seis lados é hexágono. Leu direito? Pronuncie "hecságono". E depois de "hexa", vem "hepta". E por aí vai.

PREFIXOS

É bom lembrar que "bi", que significa "dois", vem do latim, mas "tri", "tetra", "penta", "hexa" e "hepta" vêm do grego. Também é mais do que bom lembrar que não se usa hífen quando se empregam esses elementos. Escreva "bicampeão", "tricampeão", "tetracampeão", "pentacampeão", "hexacampeão", "heptacampeão" — sem hífen.

A única ressalva é que só se pensa em somar os títulos ganhos na Copa do Mundo. Ninguém faz isso em relação a um campeonato regional, por exemplo. Quando o Flamengo ganhou o Campeonato do Rio de Janeiro pela décima primeira vez —nem sei quando foi, uso só como exemplo—, a imprensa certamente não saiu gritando que o clube era "hendecacampeão".

Imagine isso dito pelo povão, em coro, na arquibancada do Maracanã: "Hen-de-ca-cam-pe-ão, hen-de-ca-cam-pe-ão". Que tal? Na conquista seguinte, "do-de-ca-cam-pe-ão". Não dá.

Pensando bem, essa história de "penta" é um pouco forçada. Mas, se o povo quer achar que é "penta", mesmo com títulos não conquistados seguidamente, que seja "penta".

POR FALAR EM "PENTA", COMO SE CHAMA O CONJUNTO ARQUITETÔNICO EM QUE FICA PARTE DO GOVERNO DOS ESTADOS UNIDOS, EM WASHINGTON?

Chama-se "Pentágono".

O QUE É ISSO?

"Gono", que também vem do grego, significa "ângulo, canto". "Pentágono" é uma figura geométrica de cinco lados. O prédio é exatamente isso.

"BIMENSAL" OU "BIMESTRAL"?

Muita gente acha que essas duas palavras são equivalentes. Apesar de parecidas, têm significado diferente. O elemento comum é o prefixo "bi-", que significa "dois". "Bimensal" é o que ocorre duas vezes por mês. Equivale a quinzenal. Uma revista "bimensal", por exemplo, sai duas vezes por mês. Já "bimestral" é o que ocorre uma vez por bimestre, ou seja, uma vez a cada dois meses.

exercício 25

1- Encontre os sete erros e escreva a grafia correta da palavra nos espaços abaixo do texto:

Sofreu um incidente numa de suas viagens diárias a Petrópolis e correu sério risco de morte. Quando entrou no hospital, seu estado de saúde era muito mal, mas se mostrou um paciente muito dedicado.

Graças a um de seus filhos, grande fisioterapeuta, logo se afastou o risco de paralisia, que parecia eminente. Filho pródigo! Foi fundamental para sua recuperação e para economizar um bom dinheiro. As despesas com médicos, nesses casos, costumam ser vultuosas.

O filho se empenhou muito, mas sempre tratou do assunto com muita discreção. No fim do tratamento, todos disseram que a saúde física do paciente estava veiculada à felicidade que sentia por ter sido atendido pelo próprio filho.

a) ______________________________

b) ______________________________

c) ______________________________

d) ______________________________

e) ______________________________

f) ______________________________

g) ______________________________

"Falam por si só"

Concordância da palavra "só"

HÁ ALGO ESTRANHO, OU É TUDO NORMAL?

Tenho ouvido a frase que dá título a este texto na televisão e no rádio e lido nos jornais e revistas. Parece que já é uma daquelas batalhas perdidas. Mas não custa tentar. Brecht dizia que são imprescindíveis os homens que nunca desistem da luta, que lutam a vida toda. Sigamos o exemplo do mestre do teatro.

BERTOLD BRECHT (1898-1956)

Dramaturgo, poeta e romancista alemão.

"Há homens que lutam um ano e são bons
Há homens que lutam muitos anos e são
muito bons
Há aqueles que lutam toda a vida
Esses são os imprescindíveis".

"Só" é uma palavra interessante. Tem vários valores em português. Pode ser adjetivo, ou seja, pode modificar substantivo ou pronome que represente substantivo. Nesse caso, "só" varia de acordo com a palavra modificada.

Quando se diz "As meninas viajaram sós", quer-se dizer que as meninas viajaram sozinhas, desacompanhadas. A palavra "sós" se refere ao substantivo "meninas" e, conseqüentemente, concorda com "meninas". Ocorreria isso também se, em vez de "meninas", fosse empregado o pronome "elas": "Elas viajaram sós".

Agora compare a frase anterior com "Só as meninas viajaram".

PERCEBEU QUE A TROCA DE "SÓS" POR "SÓ" E A INVERSÃO ACARRETAM ALTERAÇÃO DE VALOR E DE SIGNIFICADO?

Nesse caso, "só" é advérbio, já que modifica o verbo. "Só" passa a significar "apenas, somente" e é palavra invariável: "Viajaram apenas/somente/só as meninas".

Muito bem. O título desta coluna faz parte de uma frase qualquer, que poderia ser algo como: "AS CIRCUNSTÂNCIAS FALAM POR SI S...". E AGORA?

Parece claro que a palavra "só" se refere ao substantivo "circunstâncias", ou seja, o que se quer dizer é que as circunstâncias falam por elas mesmas. Melhor ainda: sozinhas, as circunstâncias são suficientes para expressar algo.

Então, se a palavra "só" se refere ao substantivo "circunstâncias", a concordância só pode ser feita no plural: "As circunstâncias falam por si sós".

Enquanto escrevo este texto, a televisão está ligada, e um comentarista de um dos jornais noturnos a que costumo assistir acaba de dizer que "As bobagens que a seleção fez falam por si só". Além das bobagens da seleção, temos a do comentarista. A concordância está errada: "As bobagens falam por si sós".

Às vezes, a palavra "só" causa situações curiosas. Pense nesta frase: "Remédio só não cura câncer".

O QUE ISSO QUER DIZER?

Quem redige assim provavelmente tem a intenção de dizer que, sozinho, o remédio não é capaz de curar o câncer. Sem dúvida, esse sentido está presente na frase.

Mas está presente outro, escondidinho, danadinho. Já sabe qual é? Releia a frase. Eu ajudo: "Remédio só não cura câncer". Descobriu? O tal remédio cura tudo, menos câncer. É como quando se diz "Ele só não faz chover".

MANUEL BANDEIRA

Poeta maior, escreveu um texto chamado "Poema só para Jayme Ovalle". Para um poema cujo tema é essencialmente a solidão, o título é intencionalmente ambíguo. A esta altura, você já sabe qual é a ambigüidade —a mesma da frase do remédio. No poema de Bandeira, "só" pode referir-se a "poema" ("poema solitário", por exemplo) ou a "Jayme Ovalle" ("poema feito exclusivamente para Jayme Ovalle", por exemplo).

É importante também destacar o papel da pontuação. Compare a frase "Só você não conseguirá a resposta" com "Só, você não conseguirá a resposta". Parecem iguais. As palavras são as mesmas, a ordem das palavras é a mesma, mas a vírgula faz a diferença. Na primeira, "só" siginifica "apenas"; na segunda, "sozinho(a)".

OUTROS VALORES DE "APENAS"

Além de sinônimo de "só", "somente", "unicamente", a palavra "apenas" pode indicar idéia de tempo. Nesse caso, equivale a "assim que", "logo que", "mal". Não faltam registros desse valor nos textos clássicos portugueses e brasileiros, como este de Machado de Assis, citado no "Aurélio": "Apenas entrou em casa, examinou cuidadosamente a cadelinha".

Vale lembrar a expressão "a sós", invariável: "Quero ficar a sós"; "Queremos ficar a sós"; "Ele quer ficar a sós"; "Eles querem ficar a sós".

Não faça confusão. Quando "só" significa "sozinho(a)", varia, ou seja, tem singular e plural. Quando significa "somente, apenas", não varia, não tem plural. E a expressão "a sós" é fixa, invariável.

exercício 26

1- Aponte as frases ambíguas. Quando houver ambigüidade, explique os dois sentidos.

a) Só, fiz o exercício.

____

b) Fiz só o exercício.

____

c) Fizeram só o exercício.

____

d) Fizeram sós o exercício.

____

e) Só fizeram o exercício.

____

f) Sós, fizeram o exercício.

____

g) Elas nunca viajaram sós.

____

h) Sós, elas nunca viajaram.

____

i) Só elas nunca viajaram.

____

j) Ele comeu só o bolo.

____

"Só, ela resolve tudo" e "Só ela resolve tudo"

Pontuação

No texto anterior, vimos que a frase "Só, ela resolve tudo" é bem diferente da frase "Só ela resolve tudo". A vírgula muda tudo. Na primeira frase, "só" significa "sozinha"; na segunda, "apenas, somente".

Vamos aproveitar a história da vírgula para algumas observações sobre pontuação. Por incrível que pareça, ainda há professores de português que ensinam a seus alunos que "vírgula é para respirar". Dizem que "toda vez que se respira, coloca-se vírgula". É óbvio que isso não é correto.

1 - A VÍRGULA ANTES DE "ETC." (1)

Muitos leitores perguntam se se coloca ou não a vírgula antes de "etc.". Você sabe o que isso significa?
"Etc." é abreviatura de "et cetera", expressão latina que significa "e as demais coisas". Exatamente porque a expressão contém o "e", alguns autores respeitáveis entendem que não se deve empregar a vírgula, como não se emprega antes de "e" nas enumerações: "Comprei alho, ovos e as demais coisas"; "Comprei alho, ovos etc."

Se assim fosse, imagine como seria o texto de um asmático. Uma vírgula atrás de outra. A vírgula é, antes de tudo, um instrumento sintático, ou seja, um elemento que está diretamente associado ao papel que um termo tem na estrutura da frase.

2 - A VÍRGULA ANTES DE "ETC." (2)

Outros autores, porém, entendem que se deve proceder como se o "etc." fosse um elemento da enumeração: "Comprei alho, ovos, etc." No Formulário Ortográfico, sempre aparece a vírgula antes de "etc.", o que, para muitos, é motivo para legitimá-la. E agora? Há razões para ambos os lados. A conclusão fica por sua conta, com a ressalva de que no "Formulário Ortográfico" a vírgula sempre aparece.

Mas nada de complicar, que não é esse nosso papel. Vamos direto ao assunto. Compare a frase "Pedro, nosso primo comprou uma casa" com "Pedro, nosso primo, comprou uma casa".

PERCEBEU A DIFERENÇA?

Na primeira, "Pedro" é a pessoa a quem se dirige a palavra, a pessoa chamada, interpelada. "Pedro" não é nosso primo. Sintaticamente, diz-se que "Pedro" é "vocativo". Vocativo vem do latim "vocare" (chamar). E o vocativo sempre é separado por vírgula. Não se espante se encontrar por aí frases como "Acorda Brasil. Está na hora da escola", sem a vírgula que deveria separar "Brasil", vocativo. A pontuação está errada. A frase correta é "Acorda, Brasil. Está na hora da escola".

VOCATIVO

Nomeia o interlocutor ao qual se dirige a palavra. É um termo independente: não faz parte do sujeito nem do predicado. Pode ser representado por substantivos, pronomes e numerais substantivos, ou ainda, por palavras substantivadas.
Alguns exemplos: "Meu querido, o que aconteceu?"; "Antônio, pare já com isso!"; "Essa proposta é inaceitável, senhor Ministro".

Na célebre frase "Maria, sai da lata!", "Maria" é vocativo. "Maria" recebe um apelo. Sem a vírgula, "Maria" passaria a sujeito e efetivamente sairia da lata.

Voltando ao glorioso "Pedro", o que ocorre na segunda frase ("Pedro, nosso primo, comprou uma casa")? Não existe mais vocativo, ou seja, não se chama ninguém. Pedro e nosso primo são a mesma pessoa. Pedro, que é nosso primo, comprou uma casa.

APOSTO

No caso da frase "Pedro, nosso primo, comprou uma casa", "nosso primo" funciona como aposto. Trata-se do termo que amplia, explica, desenvolve ou resume o conteúdo de outro termo.
Em "Otávio, nosso fiel colaborador, está à beira de um ataque de nervos", a expressão "nosso fiel colaborador" é aposto, o que também ocorre com "sujeito atrapalhado por natureza" em "O autor, sujeito atrapalhado por natureza, vive postergando os prazos de entrega".

Agora pense em outra dupla: "Os atletas despreparados abandonaram a competição"/ "Os atletas, despreparados, abandonaram a competição".

QUAL É A DIFERENÇA ?

Vamos lá. Na primeira frase, havia na competição atletas preparados e atletas despreparados. Só abandonaram a competição os despreparados. Os preparados ficaram. O termo "despreparados" restringe o universo de atletas a uma parcela. E termos restritivos não se separam por vírgula.

Na segunda, todos os atletas estavam despreparados e abandonaram a competição. Note que, se se desejasse enfatizar a condição, o estado dos atletas, bastaria colocar o adjetivo "despreparados" no início, separando-o por vírgula: "Despreparados, os atletas abandonaram a competição".

PERCEBE QUE NESTE CASO AUMENTA O DESTAQUE PARA A CONDIÇÃO DOS ATLETAS ?

Lamento dizer, mas não existem milagres. Só se consegue domínio pleno da pontuação, principalmente do uso da vírgula, com o estudo da estrutura sintática. O problema é que o estudo e o ensino de análise sintática quase sempre são catastróficos. Perde-se um tempo danado com picuinhas, bobagens, e com definições esquisitíssimas. "Sujeito é aquele que pratica a ação" é uma dessas definições que não servem para nada.

Para encerrar, uma brincadeira. Pontue o seguinte trecho, com a liberdade de transformar minúsculas em maiúsculas, se necessário:

"Maria antes do banho sua mãe diz ela traga a toalha".

Pode começar a quebrar a cabeça.

QUE TAL? JÁ CONSEGUIU?

Vamos lá: "Maria, antes do banho, sua. Mãe — diz ela—, traga a toalha". Gostou? Se não entendeu o que é "sua", leia o texto do boxe.

O VERBO SUAR

Muita gente diz que "soa" quando o calor é intenso. "Soa" é do verbo "soar", que significa "emitir ou produzir som, ecoar, retumbar". Sinos soam, campainhas soam, notas musicais soam ("Soou uma nota soturna do concerto interrompido", escreveu o grande Jorge de Lima). Quando faz calor, as pessoas "suam", do verbo "suar". No presente, "eu suo, ele(a) sua, nós suamos, eles suam". No pretérito, "eu suei, ele(a) suou, nós suamos, eles suaram".

exercício 27

1- Em cada uma das frases a seguir há um aposto ou um vocativo. Grife o termo e diga se é aposto ou vocativo.

a) Emília, filha de Cacaia, é uma menina extremamente viva.

____

b) Laura, nossa acupunturista é uma excelente profisisonal.

____

c) Não achava que pedia tanto: coragem, iniciativa, resolução de problemas. Afinal, o que esperar de profissionais?

____

2- No painel de alguns elevadores há um botão em que se lê a seguinte mensagem:

PREMER

PARA

PUXAR

PARTE

Acentue e pontue adequadamente para que a mensagem faça sentido.

____

3- Pontue a frase abaixo e descubra o seu real significado:

UM FAZENDEIRO TINHA UM BEZERRO E A MÃE DO FAZENDEIRO TAMBÉM ERA O PAI DO BEZERRO

4- Um soldado foi convocado para a guerra e recebeu o seguinte telegrama (é bom lembrar que em telegramas as palavras não são acentuadas):

IRAS VOLTARAS NAO MORRERAS.

Acentue e pontue a frase acima de forma que se tenham duas interpretações: uma favorável e outra desfavorável ao soldado.

a) Favorável:

____

b) Desfavorável:

____

5- Pontue de duas maneiras distintas de forma a obter sentidos diferentes para o texto abaixo:

a) CAROLINA NOSSA SECRETÁRIA COMPROU UM AUTOMÓVEL

b) CAROLINA NOSSA SECRETÁRIA COMPROU UM AUTOMÓVEL

O ator e o policial

Verbos irregulares: “mediar”, “ter” e família

Certa vez, num dos jornais da TV Globo, o convidado era Lima Duarte. O ator é a própria história da televisão no Brasil. Culto e sensível, Lima encheu de poesia o jornal, alegrando almas e corações delicados.

Depois de referências a Guimarães Rosa e de vários “causos” de sua querida terra —Minas Gerais—, a certa altura, comentando um caso policial, Lima disse algo como “a linha inconsútil que medeia a ficção e a realidade”. Quantas e quantas vezes me descabelei em sala de aula para dizer aos alunos que o verbo “mediar” é irregular. Talvez por ser pouco usado, esse verbo causa surpresa com sua irregularidade. Na língua culta, uma pessoa não “media” uma negociação. Deve-se dizer que uma pessoa “medeia” uma negociação.

RELEMBRANDO

Já expliquei o caso do verbo “mediar” neste livro. Esse verbo é um dos que formam a sigla “MARIO“ (“mediar”, “ansiar”, “remediar”, “incendiar”, “odiar”). Os cinco, mais “intermediar”, derivado de “mediar”, são irregulares.

Batendo papo, Lima conjugou tranqüila e corretamente o verbo "mediar". Como se isso não bastasse, usou um termo erudito ("inconsútil").

LINHA INCONSÚTIL

A "linha inconsútil" que o ator citou nada mais é do que a linha não costurada, o que faz sentido para dizer que é praticamente nada o que separa a ficção da realidade. Na verdade, nem sei se a frase é lavra do próprio Lima, ou uma de suas tantas citações literárias.

Corte. Terminado o comentário de Lima, entrou matéria externa. Falou um dos policiais que atuaram no caso comentado por Lima: "Parece que ele não mantia relações sexuais com as vítimas". Lembrei-me daquela música cantada pela querida e saudosa Maysa: "Meu mundo caiu...".

ELE "MANTIA"?

Vou dar uma pequena volta para chegar ao problema. Vamos lá. Você sabe que participei de comerciais de uma rede de lanchonetes. Aliás, você deve ter percebido que não fiz propaganda do produto, e sim da língua. Num dos filmes, comentei a conjugação verbal das crianças: "Nanar, eu nano; papar, eu papo. E saber?", dizia eu na abertura do comercial. Uma criança diz: "Eu sabo". Explico no filme que isso é perfeitamente normal na linguagem infantil. A criança faz isso por associação com os verbos regulares. O que a criança faz, na prática, é regularizar a conjugação dos verbos.

Digo no filme que "mais tarde, devagar e sem forçar, a criança acaba aprendendo o que é certo". Isso de fato ocorre. A partir dos cinco ou seis anos, fundamentalmente por ouvir, mas também por ser corrigida, a criança deixa de dizer "sabo, consego, podo, fazo, ouvo". Pois bem.

QUE RELAÇÃO TEM ISSO COM O QUE DISSE O POLICIAL ("MANTIA")?

Relação plena. O delegado —de nível superior— fez exatamente o que faz a criança de três ou quatro anos quando conjuga o presente de verbos irregulares. O policial "regularizou" o verbo "manter".

COMO É O PRETÉRITO IMPERFEITO DO INDICATIVO DA MAIORIA DOS VERBOS TERMINADOS EM "ER"?

"Beber/bebia", "fazer/fazia", "ler/lia", "sofrer/sofria", "esquecer/esquecia", "dizer/dizia", "prometer/prometia", "roer/roía", "convencer/convencia" etc.

Se regularizássemos o verbo "manter", teríamos "mantia". Ocorre, porém, que esse verbo não é regular. Deriva do verbo "ter" e segue sua conjugação.

OS VERBOS "TER" E "MANTER"

Tenho/mantenho (presente do indicativo), tinha/mantinha (pretérito imperfeito), teve/manteve (pretérito perfeito), tivera/mantivera (pretérito mais-do-que-perfeito), tenha/mantenha (presente do subjuntivo), tivesse/mantivesse (pretérito imperfeito do subjuntivo), tiver/mantiver (futuro do subjuntivo).

Por que Lima acertou um verbo irregular, e o policial errou? Será um caso isolado? Não, certamente. Vamos repetir a velha ladainha: verbas para educação, ensino de qualidade, ensino democratizado, perspectiva de realização pessoal e profissional, vontade de aprender, cidadania, amor à língua, à cultura etc., etc., etc.

No caso do policial —de nível superior, repito —, devem ter faltado mais os últimos fatores do que os primeiros do parágrafo anterior. Sem comentário.

PELÉ "INTERMEDEIA" OU "INTERMEDIA"?

Uma leitora recortou um título de um jornal de São Paulo: "Pelé intermedeia negócio". Mandou o recorte e uma pergunta: "Estou enganada ou este título é uma tremenda pedrada?". Cara leitora, infelizmente você está enganada. Apesar de horrorosa, a forma "intermedeia" é correta.

exercício 28

1- O pretérito do verbo "crer"

Uma pergunta que sempre me fazem diz respeito à primeira pessoa do singular do pretérito perfeito do verbo "crer". Você sabe como é essa forma verbal?

É ____________________

Agora responda: como é essa forma do verbo "ler"?

____

E a de "ver"?

____

E a de "ser"?

____

2- O pretérito de "crer"

E como é a terceira pessoa do singular?

"Ele ____________"

Lembra-se de um personagem impagável de Chico Anysio, o Bento Carneiro?

Sempre dizia: "Não ____________ neu, se finou-se". No meio da brincadeira, havia uma forma correta: ____________.

Na prática, no lugar de "ele ____________", usamos "ele ____________".

Para acabar com a história, vamos lá:

Eu ____________________

Tu ____________________

Ele ____________________

Nós ____________________

Vós ____________________

Eles ____________________

3- O verbo "premiar"

Um leitor quis saber como fica o verbo "premiar" na seguinte frase:

"Toda idéia, de certa forma, é uma contribuição. Por isso, ____________ as melhores idéias e agradeça as outras".

Dica:

Apesar de alguns dicionários e gramáticas registrarem casos de uso irregular desse verbo, é inquestionável que sua conjugação pode seguir a da quase totalidade dos que terminam em "iar" ("variar", "anunciar", "denunciar", "renunciar").

A provisão e a providência

As palavras e suas terminações

Sérgio Groissman ainda apresentava o Programa Livre, no SBT, quando recebeu a visita do Tiririca. Com seu estilo característico, Serginho passou a bola para um dos garotos da platéia, que perguntou ao comediante: "Por que ninguém toma nenhuma provisão?".

Tiririca já respondia, quando se ouviram muxoxos e risos na platéia, certamente causados pelo ato falho do jovem. Tiririca percebeu e, em vez de prosseguir na resposta, passou a repetir a palavra"provisão".

Não me cabe discutir se o garoto disse "provisão" por convicção ou sem querer. Prefiro pensar que foi sem querer. Sabemos que muita gente confunde as terminações de certos substantivos que indicam "o ato de", o que é natural.

E POR QUE ISSO OCORRE?

Porque várias terminações —"são" e "mento", por exemplo— indicam o mesmo processo ("ato de"), o que certamente leva o falante, vez ou outra, a se confundir. Há até casos de dupla terminação, como "agrupamento e agrupação", ou "salvamento e salvação". A diferença entre as duas últimas é bastante sutil. Segundo o respeitável dicionário de Caldas Aulete, são até equivalentes.

O garoto que fazia a pergunta a Tiririca pode ter-se confundido. Bem, aproveitando a confusão, como bom advogado do diabo, eu pergunto:

EXISTE A PALAVRA "PROVISÃO"?
E, SE EXISTE, O QUE SIGNIFICA?

É bom dizer imediatamente que a palavra existe, sim. "Provisão" é simplesmente o "ato de prover".

E DAÍ? O QUE É "PROVER"?

É "abastecer, suprir, fornecer". Então "provisão" é "abastecimento, suprimento, fornecimento".

Em talões de cheques de alguns bancos (Banco do Brasil, por exemplo), lê-se o seguinte: "Incide em crime de estelionato aquele que emite cheques sem suficiente provisão de fundos em poder do sacado, ou lhe frustra o pagamento".

O QUE VEM A SER "SUFICIENTE PROVISÃO DE FUNDOS"?

Ora, em termos de conta bancária, para que haja fundos, é preciso que haja dinheiro. Se "provisão" é "o ato de prover", a "provisão de fundos" nada mais é do que o abastecimento da conta com dinheiro.

Conscientemente ou não, o garoto que entrevistava Tiririca pronunciou palavra que existe, mas que não cabia no contexto. Eu adoraria perguntar à garotada que riu do jovem que disse "provisão" se a palavra existe e o que significa.

Por falar em "provisão" —ato de prover—, é bom não confundir "prover" com "prever", nem com "provir". Vamos lá.

QUAL O SIGNIFICADO DE "PREVER", "PROVIR" E "PROVER"?

"Prever" é "ver antes". Quem faz a previsão do tempo tenta prever o tempo, ou seja, tenta ver antes que tempo vai fazer. "Provir" significa "proceder, ter origem, derivar, descender": "Ele provém de família árabe".

RELEMBRANDO

O verbo "PREVER"
Conjuga-se exatamente como o verbo "ver": "vejo/prevejo", "vi/previ", "veja/preveja", "visse/previsse". E não se esqueça do futuro do subjuntivo: "Quando você vir meu primo"/"Quando você previr os gastos".

O verbo "PROVIR"
Conjuga-se exatamente como se conjuga o verbo "vir" : "venho/provenho", "vim/provim","venha/provenha", "viesse/proviesse", "vier/provier".

Por fim, o verbo "prover", o mais chato dos três. O significado você já sabe. A conjugação é maluca. Nos presentes (indicativo e subjuntivo), segue o verbo "ver": "vejo/provejo", "veja/proveja". Trocando em miúdos: "Para você passar as férias na casa de praia sem aborrecimentos, é necessário provê-la bem". Tradução: "Para passar as férias na casa de praia sem aborrecimentos, é necessário abastecê-la bem".

No pretérito perfeito, o caldo engrossa. Nesse tempo, o verbo prover NÃO é conjugado como o verbo "ver". Sua conjugação é autônoma —e regular: "provi, proveste, proveu, provemos, provestes, proveram". Portanto é perfeitamente possível dizer "Eles passaram férias ruins porque não proveram a casa". Também se pode dizer "Ele não proveu o carro". Bem, é mais fácil dizer "Eles não abasteceram a casa", ou "Ele não abasteceu o carro".

Agora que já provi você de informações lingüísticas, que provêm de anos de estudo, só me resta prever que você certamente saberá empregar com acerto os três verbos.

RELEMBRANDO – ALGUMAS FORMAS DO PRETÉRITO PERFEITO

"Sexta-feira eu **fui** ao cinema".
"No ano passado **tive** experiências muito particulares".
"**Fizemos** exatamente como você **pediu**".
"**Fiz** exatamente como eles **pediram**".
"O Brasil **ganhou** a Copa do Mundo em 70".

exercício 29

1- O ato de "narrar" é "narração". Indique o ato de:

a) Conceber ________________________________

b) Conceder ________________________________

c) Conseguir ________________________________

d) Decidir ________________________________

e) Deter ________________________________

f) Determinar ________________________________

g) Discernir ________________________________

h) Esquecer ________________________________

i) Extinguir ________________________________

j) Extrair ________________________________

l) Impor ________________________________

m) Isentar ________________________________

n) Perseguir ________________________________

o) Planejar ________________________________

p) Prometer ________________________________

q) Retrair ________________________________

r) Subtrair ________________________________

s) Suprimir ________________________________

t) Transferir ________________________________

u) Vir ________________________________

As várias "personalidades" das palavras

Palavras que são antônimas de si mesmas

Prepare-se. Este texto vai dar trabalho. Será necessário abrir o coração e a alma para admitir a existência de velhos vícios. Será preciso aceitar novidades e surpresas. Também será preciso afiar o raciocínio lógico, sobretudo para a primeira conversa.

Vamos lá. Um cidadão é filho, neto e bisneto de estrangeiros. De alemães, por exemplo.

DIZ-SE, COM TODA A NATURALIDADE, QUE ELE DESCENDE DE ALEMÃES, CERTO?

Certo. Realmente, esse cidadão descende de "alemães". "Descender" significa "provir por geração, originar-se".

Até aí, nenhuma novidade. E se esse cidadão quiser fazer referência a seus antepassados? O que deve dizer? Que sua descendência é alemã? Vamos pensar. "Descendentes" são aqueles que "descendem", ou seja, "os que provêm", "os que vêm depois", "os que se originam". Não é o pai que descende do filho. É o filho que descende do pai. Então os descendentes de uma pessoa são seus filhos, netos, bisnetos. Obviamente, sua descendência está nos seus descendentes. Um cidadão só pode dizer que tem descendência alemã se seus filhos, netos, bisnetos forem alemães.

"Ascender" significa "subir, elevar". São ascendentes os que estão acima. Obviamente, a ascendência de uma pessoa está nos seus ascendentes, nos que vêm antes, ou seja, nos pais, nos avôs, nos bisavôs.

Moral da história: se um cidadão descende de alemães, ou seja, se provém de alemães, sua ascendência (e não sua descendência) é alemã, porque os que estão acima dele, na hierarquia familiar, ou seja, seus ascendentes (pais etc.), são alemães.

ANTEPASSADOS

Dia desses, vi uma entrevista com a atriz Vera Holtz. Belíssima como sempre, transpirando humor, charme e maturidade, a atriz falou de seus antepassados —gente do interior de São Paulo. E não titubeou. Referindo-se a sua origem, disse "minha ascendência".

Todos sabem que no dia-a-dia as pessoas simplesmente ignoram a palavra "ascendência". Referindo-se a sua origem, costumam dizer "minha descendência". É o velho problema da contaminação pela semelhança.

O objetivo deste texto não é apenas tentar ensinar a diferença entre "descender" e "ascender", ou entre "ascendência" e "descendência". Isso é só uma semente. A idéia é tentar fazer você prestar atenção nas palavras e — é claro— no que elas significam.

O QUE QUER DIZER "SANÇÃO"?

Um exemplo primoroso: "sanção". Essa palavra pode significar "aprovação" (a sanção que o presidente dá a uma lei, por exemplo). Mas também pode significar "castigo, punição" (as sanções impostas aos que desrespeitam o código de trânsito, por exemplo).

Agora vamos às surpresas.

COMEÇAMOS COM A PALAVRA "FORMIDÁVEL". VOCÊ SABE O QUE ELA SIGNIFICA?

Procure-a num bom dicionário. O primeiro significado que se dá é "pavoroso, diabólico, horrendo, assustador". E não faltam exemplos. Clássicos. Mas essa palavra passou a significar algo como "maravilhoso, excelente, fantástico".

E "BÁRBARO"?

Outra desse time. Os gregos e os romanos denominavam "bárbaros" todos os estrangeiros. "Bárbaro" também é um indivíduo dos bárbaros, povo do norte da Europa, que, por sinal, invadiu parte do Império Romano. A palavra também assumiu o significado de "rude, sem civilização, inculto, selvagem". No Brasil, essa palavra possui ainda o sentido de "muito bom, excelente". Muita gente de mais de quarenta anos continua usando essa palavra com esse sentido, muito comum na época da Jovem Guarda.

"O GRAMA" OU "A GRAMA"?

Há algum tempo, vários leitores perguntaram se uma propaganda da Vale, publicada em vários jornais, era correta. No texto, a palavra "grama" foi empregada no feminino ("uma grama"). A tradição da língua ensina que "grama" é palavra feminina quando dá nome ao vegetal. Quando indica medida de peso (os físicos dizem que não é peso, é massa), a palavra é masculina: "um grama de ouro", "dois gramas de ouro", "duzentos gramas de queijo".

AGORA RESPONDA: VOCÊ TEM DÚVIDAS QUANTO AO SIGNIFICADO DE "SOFISTICADO"?

Essa palavrinha é supersurpreendente. Usada largamente com o sentido de "chique, muito chique, de extremo bom gosto, de alto nível", essa palavra aparece nos dicionários como derivada de "sofisticar", sinônimo de "sofismar", ou seja, "falsificar, adulterar, deturpar". "Sofisticar" e "sofismar" são farinha do mesmo saco. "Sofisma" nada mais é do que "argumento falso formulado de propósito para induzir alguém a erro".

Uma que não pode faltar é "relevar". É de cair o queixo.

O QUE VOCÊ ENTENDE POR "RELEVAR UM FATO"?

Pode ser "destacá-lo, dar-lhe importância, salientá-lo", ou "deixá-lo de lado, ignorá-lo, atenuar sua importância". A palavra simplesmente tem sentidos quase opostos. E mais um, que quase passa despercebido: "tornar a levar, levar de novo".

Para terminar, outra doída como "relevar": "percalço".

SABE O QUE É "PERCALÇO"?

Constate você mesmo. Procure "percalço" nos dicionários.

Significa "problema, obstáculo, dificuldade", como é mais usada hoje. Mas também pode significar "lucro, vantagem, provento, rendimento, proveito".

Tudo isso mostra que às vezes o mundo das palavras não é muito diferente do mundo das pessoas. Várias "personalidades". Cuide-se!

O "XEQUE" E O "CHEQUE"

É claro que você já ouviu alguém dizer algo como "O fato coloca em xeque (ou cheque?) todo o sistema". O problema não é dizer, é escrever. A expressão é "colocar em xeque", com "x". Isso vem do xadrez, jogo que todos conhecem. Quando o rei é atacado, diz-se que ele está em xeque. Quando se diz que um sistema —o da saúde, por exemplo— está em xeque, diz-se que sua reputação está sob suspeita. Xeque, com "x".

exercício 30

1- Jogo do Dicionário - escolha a definição correta para as palavras abaixo:

a) Abaçaí

(1) Fruto rico em vitaminas, encontrado na região norte do Brasil;

(2) Na mitologia tupi, espírito maligno que perseguia os índios, enlouquecendo-os;

(3) Tipo de lança utilizada na pesca e na caça pelos índios da região central da Amazônia.

b) Caaigapó

(1) Tribo indígena, extinta no período da colonização;

(2) Região montanhosa, com quedas d'água e vegetação cerrada;

(3) Trecho inundável da floresta; mata inundada permanentemente.

c) Calamistro

(1) Cômodo utilizado para aprisionar fugitivos e rebeldes na época medieval;

(2) Objeto de madeira utilizado para lavar as costas;

(3) Ferro de frisar o cabelo.

d) Desirmanado

(1) Separado de coisa ou pessoa com que estava emparelhado, irmanado; desunido.
Não semelhante; desigual, diferente;

(2) Filho único;

(3) Bagunçado; desajeitado; desengonçado; fora de alinhamento.

e) Dessiso

(1) Convencido; decidido; obstinado;

(2) Ajuizado; coerente; compreensivo;

(3) Falta de siso, de juízo, de bom senso.

f) Haltere

(1) Instrumento ginástico formado por duas esferas de ferro ligadas por uma haste do mesmo metal, que a mão segura com facilidade; barra, peso;

(2) Objeto de ferro utilizado na sustentação de grandes obras em alvenaria;

(3) Objeto metálico de tamanho minúsculo, componente dos microchips; inseridos em computadores destinados à produção em massa.

g) Heterossexual

(1) Relativo à afinidade, atração e/ou comportamento sexual entre indivíduos do mesmo sexo;

(2) Relativo à afinidade, atração e/ou comportamento sexual entre indivíduos de sexo diferente;

(3) Relativo à afinidade, atração e/ou comportamento sexual variados, de ambos os sexos.

"Daqui 45 dias"

O emprego de algumas preposições e dos pronomes "todo" e "todos"

Não parece, mas, depois que virou moda discutir questões de português —e este escriba tem alguma coisa com isso—, o pessoal da publicidade anda pensando duas vezes antes de perpetrar bobagens. Muitos dos redatores andam lendo os professores colunistas e —sabiamente— corrigindo os escorregões.

Foi o que fez uma grande rede de lojas que patrocinava em São Paulo o jornal Hoje, da TV Globo. O bordão da loja era "O menor juros do Brasil". Escrevi a respeito. Expliquei que não dá para engolir "o menor juros". Não deu outra. A rede tirou a bobagem do ar.

"O MENOR JUROS DO BRASIL?"

"Juros" é plural de "juro". O artigo, portanto, deve concordar com o substantivo: "o menor juro"; "os menores juros". Em "o menor juros", o erro está no emprego do artigo no singular com o substantivo no plural.

Outra grande rede de lojas andou anunciando que o primeiro pagamento "só daqui 45 dias". Santo Deus! Será que o texto não passa pela mão de ninguém? Será que ninguém se preocupa em ouvir a propaganda antes que seja veiculada, para que se evitem erros semelhantes? Será que, se nada disso funcionar, ou seja, se o filme for para o ar, ninguém percebe o erro e manda imediatamente aposentá-lo?

VOCÊ POR ACASO DIZ QUE "DAQUI CAMPINAS SÃO CEM QUILÔMETROS"? OU DIZ QUE "DAQUI JAPÃO SÃO MILHARES DE QUILÔMETROS"?

A palavra "daqui" resulta da soma de duas ("de" e "aqui"). Em termos técnicos, diz-se que "daqui" é a contração da preposição "de" com o advérbio "aqui". Em tese, "daqui" é palavra que se aplica basicamente quando se trata de lugar. "Daqui" significa "deste lugar". O uso, porém, consagrou "daqui" também com a idéia de tempo.

De qualquer maneira, indicando lugar ou tempo, usa-se "daqui" com a preposição "a": "Daqui a Campinas são cem quilômetros"; "O poço só será explorado daqui a dez anos". É mais do que óbvio, pois, que não se paga a primeira prestação "daqui 45 dias", e sim "daqui a 45 dias".

"A PARTIR DE"

Um leitor perguntou sobre a expressão "a partir de". Ouviu um repórter dizer "a partir do ano passado..." e achou estranho. "O certo não seria 'desde o ano passado'?", perguntou. Realmente, o uso de "a partir de" para indicar o passado causa algum desconforto. Parece que a expressão combina mais com o futuro. Mas, caro leitor, os dicionários dão razão ao repórter. Para "desde", o "Aurélio" dá "a partir de" – entre outros significados. Caldas Aulete dá "a datar de" e em "partir" dá "a partir de" como equivalente a "a datar de", ou seja, dá "desde" e "a partir de" como equivalentes.

Dessa vez, nem foi preciso esperar que alguém da rede de lojas lesse esta coluna e resolvesse tirar a propaganda do ar. O filme saiu do ar logo, ou melhor, mudou. Na segunda versão, o locutor dizia –aleluia!– "daqui a 45 dias".

"A SUA" OU "SUA"? "EM" OU "DE"?

Um leitor quis saber qual das seguintes frases é melhor: "A sua opção de resseguro" ou "Sua opção em resseguro"? O primeiro caso é muito simples. Em português, com possessivos, o artigo é optativo. Você pode usar "sua opção" ou "a sua opção". Tanto faz. O segundo caso é mais delicado. Em tese, faz-se uma opção "por" ("Fez a opção pelo curso noturno"), ou "entre" ("Precisa fazer a opção entre o noturno e o diurno"). Esse caso, porém, é diferente. Parece tratar-se da opção em determinada situação, em determinado assunto, ou seja, em se tratando de resseguros, sua (ou a sua) opção é "x", ou "y".

Outra mania que muita gente que trabalha em rádio e TV tem é usar a palavra "através" sem a preposição "de": "Os gols foram marcados através Romário". É bom que você saiba que não se usa "através" para introduzir o agente de um processo verbal, ou seja, não se diz que "tal coisa foi feita através de alguém".

VOCÊ SABE QUAL É O SENTIDO REGISTRADO NOS DICIONÁRIOS PARA "ATRAVÉS"?

"Por dentro de, de um lado a outro, por entre, no decurso de": "O ladrão escapou através de um túnel cavado pelos presos"; "Lutou por essa causa através dos anos"; "Observava através da janela".

Na frase dos gols, nem a inclusão da preposição "de" salvaria a lavoura. É melhor dizer que os gols foram marcados "por" Romário, e não "através de" Romário.

"TODO PAÍS" OU "TODO O PAÍS"?

"Amanhã haverá sol em todo país", diz a previsão do tempo. O que se entende dessa frase? Que haverá sol em simplesmente todos os países, ou seja, no planeta inteiro. Quando não seguido de artigo, o pronome "todo" equivale a "qualquer". Se o que se quer dizer é que haverá sol em todos os cantos do país, no país inteiro, deve-se dizer que haverá sol em todo o país. Quando seguido de artigo, o pronome "todo" significa "inteiro".

"EM PRINCÍPIO" OU "A PRINCÍPIO"?

Uma leitora quis saber qual é o certo: "em princípio" ou "a princípio"? Depende. As expressões são parecidas, mas não equivalentes. "Em princípio" significa "em tese", "antes de qualquer consideração", "antes de mais nada": "Em princípio, sou contra sua participação"; "Em princípio, devo ir amanhã". Já "a princípio" significa "no começo, no início": "A princípio, o namoro ia bem, mas depois tudo se complicou". Existe também a expressão "por princípio", que significa "por convicção, por norma de conduta": "O motorista deve ter por princípio o respeito ao pedestre".

Também está na moda a bendita palavra "junto", com toda a aparência de coisa chique: "Ele está negociando um empréstimo junto ao banco"; "Ela está discutindo a questão junto ao Ministério da Fazenda"; "O Vasco comprou o jogador junto ao Flamengo", "O clube está tentando junto ao jogador a renovação do contrato".

O QUE ESTÁ ERRADO EM TODAS ESSAS FRASES?

"Junto" significa "pegado, anexo, unido, ao lado": "Junto à minha rua havia um bosque, que um muro alto proibia...". É o início de uma bela canção de Chico Buarque ("Até Pensei"). Nas frases do parágrafo anterior, nada de "junto": "Ele está negociando um empréstimo com o banco"; "Ela está discutindo a questão com o Ministério da Fazenda"; "O Vasco comprou o jogador do (ou "ao") Flamengo"; "O clube está tentando com o jogador a renovação do contrato".

Ao pé da letra, quem negocia "junto" ao banco negocia em algum estabelecimento –um bar, por exemplo– que fica ao lado, perto, próximo, isto é, junto.

"EM TODOS PAÍSES" OU "EM TODOS OS PAÍSES"?

No plural, a história é outra. O pronome "todos" sempre exige o artigo antes de substantivo: "Conheço todos os jogadores", "Visitei todas as bibliotecas". Tome cuidado apenas com numerais. Se o numeral não for seguido de substantivo, não use o artigo: "Todos cinco foram detidos", "Todas três estavam contaminadas". Se houver substantivo, o artigo será necessário: "Perdi todos os cinco discos", "Ganhei todos os dez livros da coleção".

exercício 31

1- Aponte a(s) frase(s) correta(s):

a) O juros daquela loja é muito alto.

b) O ciúmes que ele tem é incontrolável.

c) A saudades que sinto dela é imensa.

d) O óculos ficou em cima da mesa.

e) O ladrão fugiu através de um túnel.

f) O ladrão fugiu por um túnel.

g) A informação foi confirmada através de um funcionário da empresa.

h) A informação foi confirmada por um funcionário da empresa.

i) O jogo foi marcado para daqui um mês.

j) O jogo foi marcado para daqui a um mês.

2- Complete as lacunas utilizando "com quem" e "com a qual":

Um leitor escreveu perguntando sobre a frase "A garota com que saí...".
Quis saber se estava correta ou se deveria ser corrigida para "A garota com quem saí...".
O pronome "que" pode referir-se a pessoas ("As moças que me atenderam"; "As professoras de que mais gosto") ou a coisas ("Os livros que comprei"; "Os pratos que comi").
Portanto não há erro na frase "A garota com que saí".
A forma que o leitor sugere ("A garota __________ saí") também é correta. Vale lembrar que haveria ainda uma terceira possibilidade: "A garota __________ saí".

3- Que diferença há entre as frases a seguir?

a) Em Belém, chove todo dia.

b) Em Belém, chove todo o dia.

____

____

____

4- Nas frases seguintes, indique o sentido da relação estabelecida pela preposição destacada.

a) Muita gente ainda morre <u>de</u> fome no Brasil.

____

b) Estou vindo <u>do</u> colégio para casa.

____

c) Caso você não queira mais falar <u>sobre</u> isso, podemos encerrar a conversa.

____

d) João voltou do cinema <u>com</u> muita pressa.

____

"Precificar a mercadoria"

Grafia semelhante, sentido diferente

O leitor certamente acompanhou a verdadeira batalha que travaram os supermercadistas e o ministro da Justiça alguns anos atrás. O problema era a bendita etiqueta nos preços.

Ouvi o presidente da entidade nacional dos supermercadistas dizer que "é um absurdo ter de precificar (sic) a mercadoria". Todos entenderam o que o referido senhor quis dizer com "precificar": "colocar preço, marcar preço".

O QUE É "SIC"?

Se você lê jornais e revistas freqüentemente, deve conhecer a palavra "sic". O termo é latino e significa "assim", "desse modo", "exatamente assim", "assim mesmo". De fato, a expressão é muito usada na imprensa. Normalmente é posta entre parênteses, depois de uma citação ou transcrição, para indicar que o original é assim mesmo, por mais que pareça estranho ou errado. Na verdade, acaba tendo tom irônico, sarcástico, pois torna clara a intenção do redator de chamar a atenção para uma barbaridade que alguém disse ou escreveu.

Mas não custa dar uma olhadela nos dicionários para confirmar. Nada de "precificar". Depois de uma boa vasculhada, chega-se a "apreçar". Vejamos o que diz Aurélio: "1. Perguntar o preço de. 2. Ajustar o preço de. 3. Atribuir grande preço ou valor a; ter apreço a."

E AGORA?

Alguém apreça a mercadoria no exato instante em que decide que preço ela terá, ou seja, no momento em que ajusta seu preço. Quando se coloca a etiqueta, a mercadoria já tem preço. A etiqueta só torna esse preço visível.

De qualquer maneira, pode-se estender o sentido de apreçar para "colocar preço em", no sentido de marcar o preço. "Precificar" parece invencionice desnecessária. Outro verbo que poderia ser empregado —e que está nos dicionários— é "etiquetar" ("pôr etiqueta em").

Na verdade, a grande queixa dos supermercadistas era justamente contra a necessidade de colocar etiquetas nas mercadorias. O que não queriam era etiquetá-las.

E aí chegamos ao xis da questão: em vez de usar o óbvio, as pessoas acham mais interessante buscar termos "chiques", "diferentes". No lugar de "etiquetar", surge "precificar". E sabe por que "apreçar" nem passa pela cabeça? Porque existe a usadíssima "apressar", que não tem nada com a história. "Apressar" é "dar pressa a; tornar rápido ou mais rápido; acelerar".

"HISTÓRIA" E "ESTÓRIA"

Um leitor —bem-humorado— perguntou: "Acabou, ou nem mesmo começou esta história? (Ou será estória?)". A "história" não acabou. O dicionário de Aurélio Buarque registra "estória", mas, secamente, diz que não se recomenda o uso dessa forma. Aurélio recomenda "história" para qualquer dos sentidos (ciência histórica, narrativa de ficção etc.). Caldas Aulete registra como brasileirismo. No "Vocabulário Ortográfico", da Academia Brasileira de Letras, vê-se: "estória s.f.: história". E aí? Pelo jeito, com "história" não se corre nenhum risco. Com "estória", confusão à vista.

Esse é um dos grandes problemas das palavras parecidas na grafia e no som, mas diferentes no significado. Muitas vezes, as pessoas só sabem da existência de uma das palavras da dupla. E aí a outra parece absurda. Aliás, essas palavras têm nome. São parônimos.

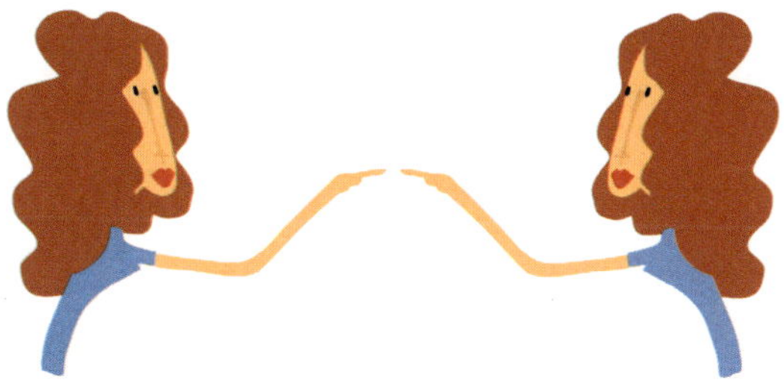

A lista é muito grande. Inclui, por exemplo, "descriminar" e "discriminar". Aqui ocorre a mesma história que se dá com o par "apressar/ apreçar". Poucas pessoas acreditam na existência da outra.

Nas notas fiscais, todo o mundo vê "discriminação da mercadoria".

O QUE VEM A SER "DISCRIMINAÇÃO"?

"Ato de discriminar", ou seja, "ato de separar, distinguir, diferenciar". Quando se faz a discriminação da mercadoria, separa-se uma de outra: tanto disso, tanto daquilo etc. Quando se faz discriminação racial, separa-se uma raça de outra.

E "descriminar"? É o contrário de "incriminar". "Incriminar" alguém é considerá-lo culpado. "Descriminar" é considerá-lo inocente. Também se pode descriminar algo. Fala-se em descriminar o uso da maconha, por exemplo. O que seria isso? Seria não considerar crime o uso dessa droga.

Muitas pessoas não sabem da existência de "descriminar" e acabam usando "descriminalizar", que até há pouco tempo os dicionários simplesmente não registravam. A última edição do "Aurélio" ("Novo Aurélio Século XXI"), lançada em 99, registra essa forma. Já o "Vocabulário Ortográfico" registra "descriminalização", "descriminalizador", "descriminalizante", mas —acredite!— não registra "descriminalizar".

Por fim, uma dica importante: é preciso tirar proveito do dicionário. No "Aurélio", por exemplo, sempre aparece a indicação da existência do parônimo. Se você procurar "iminente", por exemplo, vai encontrar, depois dos significados, a seguinte observação: "Cf. eminente". O que isso significa? "Cf." não significa "conforme", como muita gente pensa. "Cf." significa "confronte". O dicionarista sugere que você procure a outra palavra para tomar ciência de sua existência e ver a diferença que há entre elas.

exercício 32

Ligue as palavras da coluna da esquerda ao significado que aparece na coluna da direita. Preste atenção! As palavras têm grafia semelhante, mas significados bem diferentes!

a) Absolver
b) Absorver

c) Acento
d) Assento

e) Acerca de
f) Cerca de
g) Há cerca de

h) Aferir
i) Auferir

j) Afim de
l) A fim de

m) Aprender
n) Apreender

o) Assoar
p) Assuar

q) Caçar
r) Cassar

s) Cavaleiro
t) Cavalheiro

u) Censo
v) Senso

x) Cerrar
z) Serrar

1) Lugar de sentar-se
2) Semelhante a, parente de
3) Limpar o nariz
4) Inocentar, perdoar
5) Instruir-se
6) Assimilar, tomar
7) Tom de voz, sinal gráfico
8) Colher, obter
9) Sorver; consumir, esgotar
10) Para, com a finalidade de
11) Sobre, a respeito de
12) Aproximadamente
13) Comparar, medir
14) Vaiar, apupar
15) Cortar
16) Faz aproximadamente (tempo transcorrido)
17) Apanhar animais ou aves
18) Fechar
19) Aquele que sabe andar a cavalo
20) Homem educado
21) Recenseamento
22) Raciocínio, juízo claro
23) Anular, suprimir

Um beijo, Belém

Uniformidade de tratamento

Em 1998, estive em Belém, capital do Pará, para proferir duas conferências. Tudo ótimo, do pessoal que organizou o evento às inúmeras pessoas que compareceram e assistiram às palestras.

É claro que nessas ocasiões presto muita atenção no que ouço. Nada de procurar erros, pelo amor de Deus! O que me fascina é descobrir as particularidades da linguagem de cada comunidade, de cada grupo social. E a linguagem dos paraenses —mais especificamente a dos belenenses— é particularmente interessante.

"Queres água?", perguntava educadamente uma das pessoas que participaram da equipe de apoio. O pronome "tu", da segunda pessoa do singular, é comum na fala dos habitantes de Belém. Com um detalhe: o verbo conjugado de acordo com o que prega a gramática normativa, ou, se você preferir, exatamente como se verifica na linguagem oral em Portugal.

Em Lisboa e em Belém, é muito comum ouvir "Foste lá?", "Fizeste o que pedi?", "Trouxeste o livro?", "Queres água?", "Sabes onde fica a rua?".

"TU TE FOSTE DE MIM"

É inevitável lembrar uma canção de uma dupla da terra, Paulo André e Rui Barata ("Beira de mar, como um resto de sol no mar, como a brisa na preamar, tu te foste de mim"). "Tu te foste", diz a letra, certamente escrita assim pelo poeta Rui Barata, exatamente como dizem as pessoas em Belém. A cantora Fafá de Belém, equivocadamente, gravou "fostes". Uma pena! "Fostes" serve para vós: "vós fostes".

O que se ouve em Belém —"foste", "fizeste", "queres"— não é comum em qualquer região do país. Em boa parte do Brasil, é freqüente o emprego do pronome "tu" com o verbo conjugado na terceira pessoa: "Tu fez?", "Tu sempre faz isso?", "Por que tu não estuda?", "Tu comprou o remédio?".

ESSAS FRASES SÃO CORRETAS?

Para a gramática normativa, estão erradas. Se o pronome é "tu", o verbo deve ser conjugado na segunda pessoa do singular: "fizeste, fazes, estudas, compraste".

Na linguagem oral, a mistura de pessoas gramaticais ("Você fez o que te pedi?" ou "Tu falou", por exemplo) é tão comum no Brasil que é impossível não ficar surpreso quando se vai a Belém e se ouve a segunda pessoa do singular como se emprega em Portugal. Aliás, Belém tem forte e visível influência portuguesa, a começar pela bela arquitetura.

Ainda segundo a gramática —e segundo o uso lusitano, vivíssimo em Portugal—, quando se usa "tu", não se usa "lhe". E aí a roda pega, até em Belém, onde, apesar dos verbos e do sujeito na segunda pessoa, às vezes se ouve o pronome "lhe": "Foste lá? Eu lhe disse que devias ir".

QUAL É O PROBLEMA?

O pronome "lhe" se usa para "você", "senhor", "senhora", "Excelência", ou qualquer outro pronome de terceira pessoa. Na língua formal, "tu" e "lhe" não combinam. Na frase anterior, o "lhe" deveria ser substituído por "te": "Foste lá? Eu te disse que devias ir".

UNIFORMIDADE DE TRATAMENTO

Para a gramática normativa, quando se misturam as pessoas, fere-se a uniformidade de tratamento. Manter a uniformidade de tratamento significa manter ao longo do texto a mesma pessoa gramatical.
Quando se usa a segunda pessoa do singular ("tu"), mantém-se tudo na segunda: "tu", "te", "ti", "contigo", "teu".
Quando se usa a terceira pessoa ("você", "senhor/a"), mantém-se tudo na terceira: "seu", "com você", "se", "si", "o", "a", "lhe".
Na língua padrão, se é segunda, é segunda; se é terceira, é terceira.

O PRONOME "LHE"

E mais: para a gramática normativa, o pronome "lhe" não deve ser empregado com verbos que não pedem a preposição "a".
Com o verbo "dizer", que pede a preposição "a" (dizer a alguém), tudo bem: "Você foi lá? O que ele lhe disse?". Mas com "admirar", "procurar", "abraçar", que não pedem a preposição "a" (admirar alguém, procurar alguém, abraçar alguém), nem pensar em "lhe" na língua culta:
"Todos admiram você/Todos o admiram";
"Todos procuram você/Todos o procuram";
"Ela abraçou você/Ela o abraçou".

Não custa repetir que todas essas observações têm como base a gramática normativa, que, na linguagem oral, ou seja, na fala, como se vê, não é aplicada integralmente em nenhum canto do Brasil. O que fazer? Nada de radicalismo. Nem tanto ao mar, nem tanto a terra. Nada de imaginar que se deva exigir de todo brasileiro, na fala, o cumprimento irrestrito das normas lusitanas de uniformidade de tratamento.

E nada de achar que não se deve ensinar isso nas escolas, que não se deve tocar no assunto. Afinal, a uniformidade de tratamento está nos clássicos —brasileiros e portugueses—, está na língua viva, oral —de Portugal e de outros países de língua portuguesa. Está até na poesia brasileira do século XX. E também na música popular —da Bossa Nova ("Apelo", de Baden e Vinicius, por exemplo: "Meu amor, não vás embora, vê a vida como chora, vê que triste esta canção; eu te peço: não te ausentes, pois a dor que agora sentes...") a Chico Buarque ("Acho que estás te fazendo de tonta, te dei meus olhos pra tomares conta, me conta agora como hei de partir" —versos de "Eu Te Amo", música de Tom Jobim e letra de Chico Buarque).

Quem quiser ouvir um pouco desse português pode fazer uma bela viagem a Belém e lá tomar o tacacá. E ouvir algo como "Fizeste o trabalho?".

exercício 33

1- Complete os textos abaixo segundo a norma culta, respeitando a uniformidade de tratamento. No nº 1, empregue pronomes da terceira pessoa do singular (você, senhor etc.); no nº 2, a segunda pessoa do singular tu, te etc.

a) ________ não sabe o que isso tudo significou para mim. Anos e anos de dedicação a ________ . E, agora, sei que não ____ desculparei mais. Se ________ tivesse me concedido uma chance, eu poderia ter __________ ajudado. O ________ problema é que __________ nunca me deixa falar. Só que, desta vez, __________ terá de me ouvir. Não será como da última vez, quando ________ nem sequer me ouviu. Ouviu a todos, menos a mim. Mas um dia ________ entenderá que as minhas intenções eram muito mais verdadeiras do que talvez parecessem. Agora falta pouco para que eu _______ deixe. Antes, porém, ________ terá de me escutar. Eu sei que, quando __________ ouvir tudo o que eu tenho para _______ dizer, vai rezar para que o relógio ande para trás. Vai fazer de tudo para me compreender, e me pedir desculpas por todas essas acusações levianas que ______________ ousou proferir contra mim.

b) ________ não sabes o que isso tudo significou para mim. Anos e anos de dedicação a _______ . E, agora, sei que não _____ desculparei mais. Se ________ tivesses me concedido uma chance, eu poderia ter ________ ajudado. O _______ problema é que _______ nunca me deixas falar. Só que, desta vez, _______ terás de me ouvir. Não será como da última vez, quando _______ nem sequer me ouviste. Ouviste a todos, menos a mim. Mas um dia _________ entenderás que as minhas intenções eram muito mais verdadeiras do que talvez parecessem. Agora falta pouco para que eu ________ deixe. Antes, porém, terás de me escutar. Eu sei que, quando ________ ouvires tudo o que eu tenho para ________ dizer, vais rezar para que o relógio ande para trás. Vais fazer de tudo para me compreender, e me pedir desculpas por todas essas acusações levianas que ________ ousaste proferir contra mim.

Acentos fora de lugar

Acentuação: oxítonas e hiato

O fogo pegava pesado no centro-oeste e no norte do país. No norte de Mato Grosso, parecia estar o pior dos focos do incêndio que devorava as matas. Na TV, a notícia veio com ilustração: um mapa, em que se destacava a cidade de São José do Xing...

E AGORA? "XINGÚ" OU "XINGU"?

Na tela da TV estava "Xingú". Quase caí da cadeira. É incrível que ainda se erre a simples grafia de uma palavra nos meios de comunicação.

E ninguém está livre do problema. Por incrível que pareça, não escapa nem o "Nossa Língua Portuguesa" —programa que apresento na TV Cultura de São Paulo e que é exibido em todo o país. Dia desses, foi ao ar a palavra "zelo" com acento circunflexo (zêlo). Tratava-se da citação de um poema de Vinicius de Moraes ("Soneto de Fidelidade"). A edição da obra que deixei para o pessoal da técnica transcrever para o vídeo era anterior a 1971, ano em que esse acento foi abolido. Não deu outra. Foi ao ar a grafia antiga (zêlo).

Ingênuo, imaginei que ninguém mais pensasse em pôr acento nisso. Afinal, já se passaram muitos anos desde a reforma de dezembro de 1971.

REFORMA ORTOGRÁFICA

No Brasil, ainda existem pessoas que escrevem algumas palavras de acordo com o sistema vigente antes da grande reforma de 1943. Escrevia-se "quasi", "paiz" e "portuguez", por exemplo, e muita gente de mais de 60 ou 65 anos ainda escreve assim.

A reforma de 1971, que não foi nada, se comprada à de 43, ainda deixa muita gente atrapalhada. Nos restaurantes, ainda se vê a palavra "molho" com acento circunflexo ("môlho"). E pensar que querem enfiar-nos outra reforma goela abaixo.

Mas vamos voltar ao "Xingu" e tentar entender de uma vez por todas o que ocorre nesses casos.

A PALAVRA "XINGU" É OXÍTONA. LEMBRA O QUE É ISSO?

São oxítonas as palavras cuja sílaba tônica é a última. "Café", "mulher", "jogar", "vovô", "aqui" são exemplos de palavras oxítonas.

E O QUE ACONTECE COM AS PALAVRAS OXÍTONAS QUE TERMINAM EM "U"?

Nada, não recebem acento. Nada de acentuar "Xingu". Nada de acentuar as oxítonas terminadas em "u". Nem os monossílabos tônicos, que nada mais são do que palavras que têm apenas uma sílaba, que é tônica, ou seja, forte, pronunciada com intensidade tonal.

MONOSSÍLABOS

As palavras de apenas uma sílaba são denominadas "monossílabas". Podem ser tônicas —ou "oxítonas de uma única sílaba", como preferem uns poucos. Exemplos: "chá", "pé" etc. Só diferenciamos o monossílabo átono de um tônico quando pronunciamos a frase completa: "Dê-me um sorvete de morango". A forma verbal "dê" é tônica; a preposição "de" é átona.

Então nada de acentuar palavras como "Itu", "Bauru", "zebu", "urubu", "caju", "Aracaju", "urutu", "Iguaçu", "Iguatu", "Turiaçu", "Pacaembu", "nu" etc.

Agora muito cuidado para não confundir os casos de "Cafu", "Xingu", com os de "Anhangabaú", "Itaú". No caso de "Itaú", ocorre o que se chama de hiato.

SUPERSTIÇÃO

Lembra como estava grafado na camisa o nome de Cafu na Copa de 94? Com acento. Estava escrito "Cafú". Naquele ano, o jogador não foi titular e, quando entrou, não foi muito bem. Já na Copa de 98, com o nome —na verdade um apelido— grafado corretamente ("Cafu"), o jogador foi um dos poucos que se salvaram. Era muito duro carregar um erro nas costas.

O QUE É HIATO?

É a separação de duas vogais que vêm em seguida, mas pertencem a sílabas diferentes: "I-ta-ú". Ocorre a mesma situação em "Anhangabaú: A-nhan-ga-ba-ú".

O HIATO

Note que para que ocorra o hiato não é necessário, nem suficiente, que uma vogal fique sozinha na sílaba. O "i" da palavra "ilha", por exemplo, fica sozinho, mas não ocorre hiato. Na palavra "ainda", o "i" não fica sozinho, mas ocorre hiato, já que as duas vogais que vêm em seqüência ("ai") ficam em sílabas separadas ("a-in-da").

Há uma regra de acentuação específica para os hiatos. Quando a segunda vogal do hiato é "i" ou "u" —tônicos—, ocorre acento. É o caso de "saúde", por exemplo. A separação silábica é "sa-ú-de". O primeiro "a" se separa do "u", portanto ocorre hiato e, por isso mesmo, ocorre também o acento.

E O QUE ACONTECE COM O "I"?

Tudo o que vale para o "u" vale para o "i". Oxítonas terminadas em "i", como "abacaxi", "aqui", "Morumbi", "Catumbi", "Itamarati", "vivi", "decidi", "Itaqui", "Araci", não podem receber acento. Mas, se esse "i" for tônico e fizer parte de hiato, haverá acento. É o caso de "Apiaí", nome de uma cidade do interior de São Paulo. A divisão silábica é "A-pi-a-í". O último "i" está em hiato. O caso de "Iraí" é o mesmo. A separação silábica é "I-ra-í". Portanto o acento é obrigatório.

De uma vez por todas, não erre mais isso. Para ver se você entendeu, pense nas seguintes palavras, que foram escritas de propósito sem acento, independentemente de ele existir ou não: "sucuri", "ali", "Jundiai", "pitu", "Caxambu", "Grajau".

QUE TAL? EM QUANTAS VOCÊ PORIA ACENTO?

Se pensou em mais de duas, errou. Apenas "Jundiaí" e "Grajaú" têm acento. Nas outras, nem pensar no bendito acento.

Agora pense na palavra "possui". Que tal? Com acento ou sem? Depende. Se você não puser acento, escreverá "possui", terceira pessoa do singular do presente do indicativo do verbo "possuir": "ele (ou ela) possui". Se puser acento, escreverá "possuí", primeira pessoa do singular do pretérito perfeito do mesmo verbo "possuir": "eu possuí".

exercício 34

1- Acentue as palavras abaixo, quando necessário:

Agosto	Doce	Item	Parati
Ali	Eta	Maceio	Pave
Boa	Foz	Manaca	Sagu
Canil	Funil	Molho	Tupi
Cateter	Garoa	Morumbi	Voce
Constroem	Gosto	Nu	Xingu
Destroem	Iguaçu	Pacaembu	Zebu

2- Acentue as palavras abaixo, quando for o caso, e depois separe as sílabas. O que estas palavras têm em comum?

Abadia	__________	Piada	__________
Alaude	__________	Pior	__________
Utopia	__________	Poeta	__________
Doentia	__________	Rainha	__________
Ladainha	__________	Ruim	__________
Moeda	__________	Ruinas	__________

"O boi já foi para sua casa"

Palavras paroxítonas e proparoxítonas; ditongos abertos

As regras de acentuação foram estabelecidas a partir de um sistema bastante simples, que se baseia numa relação binária, ou seja, na idéia de duplas, de dobradinhas.

PALAVRAS TERMINADAS EM "L"

Para relembrar, tomemos como exemplo duas palavras terminadas em "l" —"fácil" e "Brasil". "Fácil" é paroxítona; "Brasil" é oxítona. O que acontece? Coloca-se acento nas duas? Não. As duas ficam sem acento? Também não. Coloca-se acento apenas em uma delas —"fácil", no caso, ou seja, coloca-se acento nas palavras paroxítonas terminadas em "l": "amável", "incrível", "cônsul", "difícil", "útil".

Se as paroxítonas terminadas em "l" são acentuadas, não se coloca acento nas oxítonas terminadas em "l": "barril", "fuzil", "anil", "azul", "especial", "normal", "geral", "general", "comercial", "vendaval".

Pois bem. Dia desses, meu bipe apita. Leio a mensagem: "Pasquale: O boi já foi para sua casa. Simone". Raios! Um boi indo para casa! Mas que casa? A minha ou a dele?

É claro que não precisei de mais de um segundo para entender que o "boi" na verdade era "bói", forma já aportuguesada do inglês "boy" ("rapaz, garoto"). Na verdade, a expressão em inglês é "office-boy" ("rapaz de escritório"), reduzida para "boy" e aportuguesada para "bói".

TECLADO IMPORTADO

O problema é que toda essa tralha da eletrônica moderna é baseada na língua de Tio Sam, ou seja, na língua dos norte-americanos, o bendito inglês. E em inglês não há acentos, não há cedilha, não há til. E aí você já sabe o que acontece. Chegam mensagens como "A operacao no coracao nao sera necessaria". Que língua é essa?

O episódio do "boi", ou melhor, do "bói", serve para estudarmos mais uma das regras de acentuação, a dos ditongos abertos. Lembra o que é ditongo? Vamos lá.

QUANTAS SÍLABAS EXISTEM NA PALAVRA "ÁGUA"?

Apenas duas: "á–gua". Na segunda sílaba ("gua"), há uma semivogal ("u") e uma vogal ("a"). Isso é um ditongo.

Então o ditongo nada mais é do que o encontro de uma semivogal e uma vogal. É bom lembrar que num ditongo a semivogal é sempre a pronunciada com menor intensidade tonal. E a vogal —é claro— é a que se pronuncia com maior intensidade tonal. Na palavra "pai", por exemplo, há apenas uma sílaba. O "a" é mais intenso do que o "i". Nesse ditongo, o "a" é vogal; o "i" é semivogal.

Voltando ao "boi" e ao "bói", a necessidade do acento fica mais do que clara. Mas é sempre melhor pensar em sistemas que uniformizem a questão. No caso, a regra é bastante simples: há acento nos ditongos "ei", "eu" e "oi", quando abertos e tônicos. Vamos aos exemplos: "idéia", "assembléia", "anéis", "papéis", "coronéis", "Ilhéus", "céu", "réu", "herói", "heróico", "apóia", "apóiam", "estóico" (bela palavra! — procure-a num dicionário para ver seu significado), "dói", "rói", "mói" etc.

QUAL É O FUNDAMENTO DESSA REGRA?

É muito simples: em português, esses três ditongos podem ser pronunciados de forma aberta ou fechada – dependendo da palavra, é claro. Ninguém come pão com "geleia" (sem acento, a leitura seria "gelêia"). E ninguém come banana com "avéia". O pão é com "geléia"; a banana é com "aveia". O "e" de geléia é aberto; o de "aveia" é fechado.

Isso só vale para os ditongos "ei", "eu" e "oi", porque só com esses três ditongos pode haver a variação aberto/fechado. O ditongo "au", por exemplo, é sempre aberto ("grau", "nau", "degrau", "pau"), por isso nunca será necessário diferenciá-lo de nada, ou seja, não será necessário acentuá-lo.

Tome cuidado com palavras como "aneizinhos", "heroizinho", "chapeuzinho". Apesar de haver o ditongo aberto ("ei", "oi" e "eu", respectivamente), não ocorre acento.

POR QUÊ?

Porque esses ditongos não são tônicos, ou seja, a tonicidade não está na sílaba de que fazem parte. Nas três palavras citadas, a sílaba tônica é a mesma: "zi".

ESTRANGEIRISMOS JÁ INCORPORADOS À NOSSA LÍNGUA.

Quanto ao aportuguesamento de "boy", inútil remar contra a maré. Em muitas regiões do país, não se usa "bói". Usa-se "contínuo". Mas, em outras, o "bói" existe e pronto. O uso é mais do que consagrado. Não se discute, porém, que é preciso escrevê-la em português, com "i" e com acento: "bói".

Na nossa língua, a sílaba tônica pode aparecer em três diferentes posições, e, conseqüentemente, as palavras podem receber três classificações quanto a esse aspecto: oxítonas, paroxítonas —já vistas— e proparoxítonas. Resta, portanto, lembrar que as palavras cuja sílaba tônica é a antepenúltima, ou seja, proparoxítonas, são todas acentuadas, sem exceção: "líquida", "carnívoras", "máximo", "número", "bárbara", "depósito", "árvores", "lápide", "ácido", "pérola", "única", "música", "retângulo", "máscara" etc.

ACENTUAÇÃO GRÁFICA

É a aplicação de certos sinais escritos sobre algumas letras para representar o que foi determinado pelas regras de acentuação. São eles:

Acento agudo (á, é, í, ó, ú): quando colocado sobre as letras indicadas entre parênteses, indica que elas são tônicas: "manacá", "jacaré", "lírio", "óculos", "súdito".
Sobre as letras "e" e "o", indica, além de tonicidade, timbre aberto (com exceção dos grupos "em" e "ens", em que o "e" é fechado: "parabéns", "vintém").

Acento circunflexo (â, ê, ô): colocado sobre essas letras, indica timbre fechado e tonicidade. Por exemplo: "fragrância", "experiência", "Mônaco" etc.

Trema (ü): indica que o "u" é pronunciado atonamente nos grupos "que", "qui", "gue", "gui": "conseqüência", "eqüino", "ungüento", "pingüim" etc. Há casos em que o trema é opcional, porque a pronúncia é opcional (sanguíneo/sangüíneo).

Til (ã, õ): indica que as letras "a" e "o" representam vogais nasais: "espiã", "supõe".

Grave (à): sinaliza a fusão da preposição "a" com os artigos "a" e "as", com os pronomes demonstrativos "a" e "as" e com a letra "a" inicial dos pronomes "aquele", "aquela", "aqueles", "aquelas", "aquilo".

exercício 35

1- Acentue as palavras abaixo, quando necessário. Depois responda: o que elas têm em comum?

a) Acordão

b) Alanos

c) Albuns

d) Ambar

e) Arduo

f) Beriberi

g) Biceps

h) Calcario

i) Negociavel

j) Delicia

l) Filantropo

m) Galaxia

n) Lapis

o) Latex

p) Martir

q) Misantropo

r) Onix

s) Onus

t) Orfãos

u) Personalidade

v) Retratil

x) Sangue

z) Vacuo

____

2- Acentue as palavras abaixo, quando necessário. Depois, separe as sílabas e responda: o que elas têm em comum?

a) Gafieira ______________________

b) Jeito ______________________

c) Lamuria ______________________

d) Madeira ______________________

e) Magoa ______________________

f) Maioridade ______________________

g) Muito ______________________

h) Nodoa ______________________

i) Orificio ______________________

j) Seixo ______________________

l) Solidario ______________________

m) Tabua ______________________

n) Tenue ______________________

____

Existem diferenças

"Haver" e "existir"

Já sabemos —mas não custa repetir— que o verbo "haver" tem vários significados e que não deve ser usado no plural, quando empregado com sentido de "existir, ocorrer, acontecer".

VERBO "HAVER"

Não custa relembrar alguns exemplos:
"Há muitas pessoas interessadas na casa";
"Havia muitos carros no estacionamento";
"Haverá muitas festas durante o mês".

Já vimos que é muito comum as pessoas se embaralharem no emprego desse bendito verbo. São comuns (e erradas) frases como "Houveram graves crises naquela época", "Haviam muitos buracos na rua".

RELEMBRANDO - MAIS VERBO "HAVER"

Vale ainda recordar que o verbo "haver" também deve ficar no singular quando for sinônimo de "fazer", na indicação de tempo transcorrido, de intervalo entre dois fatos: "Isso aconteceu há duas semanas"; "Não a vejo há dois meses".

Até aí, tudo bem. Os problemas começam quando se empregam sinônimos desses verbos, ou seja, quando se emprega, por exemplo, o verbo "existir", que não tem nada com a história. O verbo "existir" sempre deve ser flexionado de acordo com seu sujeito. Sendo assim, nada de "Existe duas pessoas na sala", nem de "Existia muitas pessoas interessadas".

Nas duas últimas frases, deve-se fazer a concordância: "Existem duas pessoas na sala"; "Existiam muitas pessoas interessadas".

Dia desses, matei saudade da adolescência ao ouvir Erasmo Carlos cantando "Sentado à Beira do Caminho". Os que já passaram dos quarenta hão de lembrar. Lá pelas tantas, a letra diz: "Meu olhar se perde na poeira desta estrada triste, onde a tristeza e a saudade de você ainda existe".

O QUE VOCÊ NOTA QUANTO À CONCORDÂNCIA DO VERBO "EXISTIR"?

De cara, é possível dizer que está errada. Afinal, são duas coisas que existem: "a tristeza" e "a saudade de você". Se as coisas que existem são duas, o verbo deve ser conjugado no plural: "...a tristeza e a saudade de você ainda existem".

Comentei esse caso há algum tempo no meu programa da TV Cultura, o Nossa Língua Portuguesa. Um advogado e professor de uma cidade do interior de São Paulo escreveu um artigo no jornal local dizendo que "estão ensinando errado". O texto fazia críticas à afirmação de que há erro na concordância do verbo "existir" na canção citada. Como o mundo é pequeno, um telespectador, de passagem pela cidade, viu o jornal e o enviou a mim, pedindo-me que comentasse o fato.

O professor se baseava na seguinte regra de concordância, citada em todas as gramáticas: "Quando o sujeito é formado por sinônimos ou palavras de significado muito próximo, o verbo pode ficar no singular, para realçar a unidade de sentido".

Essa regra de concordância é mais do que real — e bastante interessante. Veja este exemplo: "Descaso e desprezo sempre marcou seu comportamento". "Descaso" e "desprezo" são palavras de sentido muito próximo. Pode-se perfeitamente pensar em um único significado e colocar o verbo no singular justamente para salientar essa unidade de sentido. É claro que o verbo também pode ficar no plural: "Descaso e desprezo sempre marcaram seu comportamento".

Na letra da canção de Erasmo e Roberto, os sinônimos seriam "tristeza" e "saudade". Como diz a garotada de hoje, "forçou". Mas tudo bem. Vamos imaginar que sejam palavras de sentido próximo, o que até dá para engolir. Ocorre, porém, que na letra a palavra "saudade" vem acompanhada da expressão "de você" ("saudade de você"). E é claro que, no caso, não se pode aplicar a expressão "de você" à palavra "tristeza". Não existe, no texto, "tristeza de você". O que existe, afinal, é: 1) tristeza; 2) saudade de você.

Estão interpretando errado, caro professor. Não é possível aplicar a regra dos sinônimos no caso da canção. O verbo "existir" só pode mesmo ficar no plural: "... a tristeza e a saudade de você ainda existem".

Em tempo: há uma maneira de salvar a frase. Basta trocar o primeiro "a" por "há": "Meu olhar se perde na poeira desta estrada triste, onde há tristeza e a saudade de você ainda existe". Pronto. Dois verbos. O sujeito de "existir" é só "a saudade de você". Como a música é cantada —e na fala "a" é igual a "há"—, talvez até tenha sido essa a intenção de Roberto e Erasmo.

VERBO HAVER/ PRESENTE DO INDICATIVO

Em tempo: o presente do verbo "haver" é
eu hei
tu hás
ele há
nós havemos (ou hemos)
vós haveis (ou heis)
eles (hão)

exercício 36

1-Preencha as frases a seguir com as formas adequadas dos verbos "haver" e "existir":

a) ______________/______________ muitas pessoas na sala. (pretérito imperfeito do indicativo)

b) Se não ______________/______________ tantas dificuldades, ela certamente conseguiria atingir o objetivo. (pretérito imperfeito do subjuntivo)

c) Parece que ______________/______________ outras formas de resolver o exercício. (presente do indicativo)

d) O advogado estava tranqüilo porque ______________/______________ provas a favor de seu cliente. (pretérito imperfeito do indicativo)

e) Se ______________/______________ manifestações populares, as reformas sociais viriam. (pretérito imperfeito do subjuntivo)

f) Caso ______________/______________ alguns obstáculos pelo caminho, não desista. (presente do subjuntivo)

g) ______________/______________ graves problemas sociais no país. (futuro do presente do indicativo)

h) Agora ______________/______________ mais facilidades para a importação no Brasil. (presente do indicativo)

As aparências enganam

Palavras primitivas e derivadas e suas armadilhas

Fim de noite. Depois de um superdia de trabalho, chego exausto, pensando que ainda terei de escrever este texto. O assunto está quase escolhido.

Depois do jantar –ou ceia, pela hora–, uma chegadinha à caixa de correspondência. Pronto! Uma das tantas cartas que a administradora de meu cartão de crédito me envia põe tudo de pernas para o ar. O assunto já mudou. E quem me fornece a matéria-prima é o texto publicitário. No alto da folha, uma frase em destaque: "Ganhe um lindo conjunto de caneta e lapizeira...".

O cartão é dos mais chiques. Os textos publicitários, nem sempre. Vou em frente. Começo a ler o texto e, lá pelas tantas, de novo, a bendita "lapizeira".

Não foi "sem querer". Foi "sem querer, querendo", como diz o impagável Chaves. Afinal, a pérola saiu duas vezes, o que mostra convicção.

Voltamos ao velho problema. Empresas de grande porte capricham no produto, na embalagem, na apresentação, mas escorregam no cartão de visita –a língua. Vamos lá.

COMO SE ESCREVE "LÁPIS"?

Já escrevi, com "s". Quando uma palavra primitiva termina em "s" ou quando sua última sílaba começa com "s", conserva-se esse bendito "s" nas suas derivadas.

> **"ENCAPUZADO" OU "ENCAPUÇADO"?**
>
> Ouvi no Jornal Hoje, da TV Globo, a apresentadora Sandra Annenberg dizer "encapuzado". É isso aí, querida Sandrinha. É "encapuzado" mesmo. Muita gente diz –e escreve– "encapuçado", trocando o "z" por "ç". O erro tem fácil explicação: em português, não é 100% garantida a manutenção da grafia da palavra primitiva nas derivadas. O substantivo é "tórax", com "x". Mas o adjetivo não é "toráxico". É "torácico", com "c". Mas, no caso de "capuz", o "z" permanece nas derivadas.

Então, se "lápis" termina em "s", "lapisinho" e "lapiseira" se escrevem com "s". Se "japonês" se escreve com "s", "japonesinho" se escreve com "s". Isso também ocorre com "inglês", palavra da qual se forma "inglesinho". De "francês", "francesinho". E de "casa", cuja última sílaba ("sa") começa com "s", faz-se "casinha", também com "s". De "coisa", faz-se "coisinha". E de "Luís", que se escreve com "s", "Luisinho". De "Teresa", que também se escreve com "s", faz-se "Teresinha", com "s".

Já de "pão", "mãe", "irmão" e "anel", por exemplo, derivam "pãozinho", "mãezinha", "irmãozinho" e "anelzinho". De "Maria", faz-se "Mariazinha". Tudo com "z". Por quê? No caso, acrescenta-se o sufixo "zinho", com "z", formador de diminutivo. Em "casinha", "lapisinho", "Teresinha", o sufixo é "inho/inha" e o "s" da palavra primitiva fica.

> **"VIAGEM" OU "VIAJEM"?**
>
> "Quero que viajem agora. Façam boa viagem." Que tal? Nenhum problema. "Viagem", com "g", é substantivo: "Boa viagem"; "Viagem interessante"; "Uma viagem inesquecível"; "Fazer uma viagem". "Viajem", com "j", é forma do verbo "viajar". Como o verbo "viajar" se escreve com "j" –se fosse com "g", seria "viagar"–, todas as suas formas serão grafadas com "j": "Viajei na semana passada"; "Ela quer que eu viaje agora"; "Será necessário que vocês viajem imediatamente".

Na nossa língua, pode-se pensar em um sistema mais ou menos confiável para a grafia das palavras derivadas.

E POR QUE "MAIS OU MENOS CONFIÁVEL"?

Porque a tendência –que às vezes não se confirma– é que a palavra derivada mantenha a grafia da primitiva. "Beleza" e "embelezar" se escrevem com "z"; "análise" e "analisar", com "s"; "catálise", "catalisar" e "catalisador", com "s"; "privilégio", "privilegiar" e "privilegiado", com "i"; "cume" e "cumeeira", com "e".

"ENFERRUGEM" OU "ENFERRUJEM"?

Outra encrenca danada. Como o substantivo "ferrugem" se escreve com "g", surge a quase incontrolável vontade de escrever "enferrugem", do verbo "enferrujar". Nada disso. O verbo não poderia ter "g" no infinitivo. Se o tivesse, seria "enferrugar". E, não custa repetir, se o verbo tem "j" no infinitivo, esse "j" permanece em todas as suas formas: "Fiquei muito tempo sem fazer atividade física. Enferrujei."; "Tire as cadeiras da chuva, para que elas não se enferrujem".

Quem fica irado por nada é "irascível", com um "r", e não "irrascível". "Irascível" vem de "ira", com um "r". "Ira" significa "raiva", "cólera".

Em compensação, veja o que acontece com estes grupos: "estender, estendido, extenso, extensão"; "catequese, catequizar"; "tórax, torácico"; "fêmur, femoral".

PODE?

E como se chama a qualidade possuída por quem é discreto? "Discreção" ou "discrição"? Quem é "discreto", com "e" na segunda sílaba ("cre"), age com "discrição", com "i" na segunda sílaba ("cri"). Quem é "indiscreto" age com "indiscrição". E agora?

Agora é preciso ter um pouco de paciência para entender –e aceitar– essa maluquice. Em geral, o que acontece é uma volta à origem da palavra, quase sempre grega ou latina.

PLANTÃO

De qualquer maneira, ninguém está a salvo desses escorregões. O demônio está sempre de plantão nas gráficas. Qualquer cochilo e ele aparece para escrever "quizer", com "z", por exemplo, como apareceu em um texto publicitário relativo a meu CD-ROM ("Nossa Língua Portuguesa").

Muito bem. Quando a história da "lapizeira" já estava quase digerida, paro um pouco, ligo a TV para ver se ainda há algum noticiário. Passeio pelos canais e... "Não existirá mais dúvidas", diz o locutor de uma emissora a cabo, ao anunciar um filme. Pronto! O verbo "existir", você já sabe, sempre se flexiona de acordo com seu sujeito: "Não existirão mais dúvidas".

É. A estrada é mesmo longa. É preciso estar atento sempre para não embarcar em qualquer canoa.

exercício 37

1- Preencha a coluna em branco com uma palavra da mesma familia da que está ao lado:

Substantivo	**Adjetivo**
a) ______	Alado
b) Estômago	______
c) Água	______
d) ______	Auricular
e) ______	Bovino
f) Manhã	______
g) ______	Facial
h) ______	Felino
i) Boca	______
j) Cão	______

Primitiva	**Derivada**
l) ______	Canetinha
m) ______	Homenzarrão
n) Mulher	______
o) Borracha	______
p) ______	Película
q) Gota	______
r) ______	Óvulo
s) Caderno	______
t) ______	Casarão

"Totalização totalmente concluída"

Redundância

Eleições. Boletins ao vivo. Ao vivíssimo. Informação atrás de informação. Informação que altera radicalmente a informação anterior. E a eterna necessidade de ser objetivo, claro e correto. Curto e grosso. Missão quase impossível.

Jornalista sofre. E muito. O ouvinte nunca deve deixar de considerar que não é nada fácil fazer rádio ou TV ao vivo. Mas às vezes o limite do bom senso é ultrapassado. Na busca da boa expressão, muitos profissionais exageram e criam construções hilariantes.

Uma que representa bem isso faz parte do nosso título: "A totalização só será totalmente concluída na próxima quarta-feira". Ouvi isso mais de uma vez nas emissoras de São Paulo durante "a marcha das apurações" numa das últimas eleições.

Por terem a mesma raiz, os termos "totalização" e "totalmente" são redundantes. Bastaria dizer "A totalização só será concluída...". "Totalização totalmente concluída" é um pouco de exagero.

VOCÊ SABE O QUE É REDUNDÂNCIA?

A redundância —algo como dizer palavra ou expressão desnecessária, por indicar idéia que já faz parte de outra passagem do texto— é muitas vezes armadilha inexorável. Há casos consagradíssimos, como os impagáveis "elo de ligação", "acabamento final" e "criar novas teorias".

"ELO DE LIGAÇÃO"

O que significa "elo"? Além de sinônimo de "argola", figurativamente "elo" pode significar "ligação, união". Então "elo de ligação" é outro belíssimo caso de redundância. Basta dizer que alguma coisa funciona como "elo", e não que funciona como "elo de ligação". O mesmo raciocínio se aplica em casos como o de "criar mil novos novos empregos". Pura redundância. Basta dizer "criar mil empregos".

O que se cria é necessariamente novo, o acabamento vem no fim mesmo, e não existe elo que não ligue. Essas construções são realmente redundantes, pleonásticas.

Convém lembrar que existem alguns pleonasmos consagrados ou considerados estilísticos. Machado de Assis escreveu "ambos os dois". Camões, em "Os Lusíadas", escreveu "De ambos os dous a fronte coroada". Está na ordem inversa. Na ordem direta seria "A fronte de ambos os dous coroada". É "dous" mesmo, forma hoje em desuso e equivalente a "dois". Em Machado, essa variante de "dois" é corriqueira.

No verbete "ambos", o dicionário de Aurélio Buarque exagera ao afirmar que formas como "ambos os dois" ainda são muito usadas pelo povo. Será que são mesmo? No dia-a-dia, a palavra "ambos" é pouco usada. A expressão "ambos os dois", menos ainda.

E POR QUE "AMBOS OS DOIS" É "PLEONASMO ESTILÍSTICO"?

Porque, teoricamente, quando se diz "ambos", talvez não se dê —ou não se tenha— com clareza a idéia de que são dois. Recentemente, alguém me escreveu perguntando se seria possível dizer "ambos os três". Isso talvez demonstre que não é muito clara para algumas pessoas a relação da palavra "ambos" com a idéia de duplicidade. Talvez esteja aí a justificativa para o uso de "ambos os dois", com que provavelmente se realce e torne claro o sentido pretendido.

AMBOS

A palavra "ambos" é da mesma família das palavras "ambivalente", "ambidestro", "ambívio" ("encruzilhada"), "ambígeno" ("proveniente de duas espécies diversas") etc.

Outro pleonasmo considerado estilístico é "ver com os próprios olhos". É óbvio que ninguém vê com o nariz, nem vê com os olhos de outra pessoa. Mas essa combinação é aceita justamente por ser considerada expressiva, sobretudo pela palavra "próprios": "Vi com meus próprios olhos".

"NA MINHA OPINIÃO PESSOAL"

Ao iniciar um comentário, um jogador de futebol disse: "Na minha opinião pessoal...". "Minha opinião pessoal" é pleonasmo. Quer mais? Lá vai: "Esse fato ocorre em todos os países do mundo". Você conhece algum país que não seja do mundo?

"CONSENSO GERAL"

Ora, se é consenso, é geral. É redundante dizer "Há consenso geral em relação a isso". Basta dizer que há consenso.

Um bom exemplo de pleonasmo consagrado é "abismo sem fundo". Pouquíssimas pessoas sabem que o sentido literal da palavra "abismo" é "sem fundo".

Quando o tempo e o uso fazem perder a noção da origem de uma palavra, é natural que ocorram ligeiras mudanças em seu significado e em sua forma, o que justifica certos pleonasmos, como o de "abismo sem fundo". Afinal, hoje em dia, o sentido corrente de "abismo" não é de "lugar sem fundo", e sim de "lugar muito fundo", "de fundo quase insondável".

ABISSO

Convém lembrar que existe a forma paralela "abisso", hoje pouco usada. É dela que se forma o adjetivo "abissal". Apesar de o substantivo "abisso" estar fora de moda, o adjetivo "abissal" é tão usado quanto "abismal": "A ignorância dele é abissal/abismal".

E QUEM É QUE SABE QUE A PALAVRA "COMIGO" É EXEMPLO DE REDUNDÂNCIA?

"Comigo" resulta da soma da preposição "com" com o termo arcaico "mego". E o que é "mego"? Nada mais do que a evolução do termo latino "mecum", que já contém a preposição (me + cum). Então, ao pé da letra, "comigo" é "com" + "me" + "com".

É célebre também o caso do verbo "suicidar-se", que vem de "suicídio". E "suicídio" é "sui" ("de si") + "cídio" ("assassinato", "morte"). Ao pé da letra, o "se" de "suicidar-se" é redundante. Mas o verbo assim se consagrou no uso – literário e popular. Hoje, o verbo é "suicidar-se", pronominal.

RELEMBRANDO

São pronominais verbos que se conjugam com o pronome oblíquo átono correspondente à pessoa gramatical do sujeito: "Eu me orgulho de você" (e não "Eu orgulho de você"); "Ele se apaixonou por ela" (e não "Ele apaixonou por ela").

Voltando às eleições e à "totalização totalmente concluída", é bom tomar cuidado. Verborragia, também chamada de "logorréia" ("abundância de palavras"), faz mal. Nem todas as construções redundantes recebem o beneplácito da consagração. Algumas são ruins mesmo.

Em tempo: acabo de ouvir na TV uma superpérola. É noite de quarta-feira. O jornal da emissora exibe os gols da noite. O apresentador, impávido, diz: "Antes do final da partida, Fulano (não lembro o nome) marca mais um". É. Só faltava gol depois de encerrado o jogo.

exercício 38

1- Complete as sentenças de modo que se crie redundância:

a) Ele ficou muito cansado após subir aquela ____________ .

b) Nós estávamos vendo se ela conseguiria tirar o carro para ____________ da garagem.

c) Acabamos de tirar uma conclusão ____________ do capítulo .

d) Ela nunca fala de seus planos para o ____________ .

e) Para a casa ficar pronta, só falta o acabamento ____________ .

f) Peça a ele que entre para ____________, por gentileza.

g) Temos que criar uma ____________ maneira de agir com aquele rapaz.

h) Mas isso é uma opinião ____________ sua, portanto não generalize.

i) Não consigo me separar dela. Existe um forte ____________ de ligação entre nós.

j) Ao saber que tinha sido aprovado, o rapaz e seus familiares exultaram de ____________.

2- Reescreva as frases acima de maneira que possam ser anulados os pleonasmos:

a) ____

b) ____

c) ____

d) ____

e) ____

f) ____

g) ____

h) ____

i) ____

j) ____

"68% das urnas..."

Concordância verbal com sujeitos formados por números percentuais e por frações

Mais uma vez, vamos comentar o que se diz em época de eleições. Uma das construções mais ouvidas durante a "marcha das apurações" é a que inclui as porcentagens. É um tal de "68% das urnas", "75% dos votos válidos", "53% dos eleitores das capitais" etc.

O problema é colocar o verbo depois disso. É bom dizer que a questão da concordância com as porcentagens não é citada nas gramáticas tradicionais.

Celso Cunha, Evanildo Bechara e Rocha Lima — gramáticos dos mais conceituados— não discutem o assunto em suas obras mais conhecidas. Talvez porque esse assunto seja mais ou menos recente. Coisa do economês e do tecnoburocratês, que a imprensa, de uns tempos para cá, vem usando com freqüência.

Dos gramáticos que estão na estrada há mais tempo, o único a discutir essa questão é o professor Napoleão Mendes de Almeida. Napoleão, aliás, mudou de idéia em relação ao assunto na segunda obra em que o discutiu, aceitando o que a imprensa e os meios de comunicação em geral estabeleceram como padrão para o caso.

E é justamente esse padrão que vou citar como referência para a concordância verbal quando o sujeito é formado por expressões que incluem um número percentual.

Quando se usa a porcentagem sem o especificador, ou seja, quando se diz "10%", e não "10% de alguma coisa", é óbvio que o verbo vai concordar com o número da porcentagem.

Então, quando se diz "Apenas 10% querem mudar de casa", o verbo concorda com o número "10" da expressão percentual "10%". Se esse número for inferior a dois, o verbo deve ficar no singular: "Apenas 1,78% votou nesse candidato"; "0,9% acha o candidato preparado"; "Apenas 1% fica com o premiado".

Quando a porcentagem vem acompanhada de especificador, ou seja, quando se diz "x% de alguma coisa", o verbo passa a concordar com esse especificador, independentemente do número percentual.

Então, quando se diz "14% do eleitorado", o verbo concorda com o especificador, ou seja, com "eleitorado": "Apenas 14% do eleitorado aprova o programa do candidato".

SE VOCÊ DISSER "1% DOS ELEITORES", O QUE OCORRERÁ COM O VERBO?

O verbo deverá concordar com "eleitores", o especificador do percentual. Então você dirá "1% dos eleitores aprovam o programa do candidato".

Vamos pensar em um verbo seguido de um adjetivo: "14% das eleitoras ficaram satisfeitas." Se o verbo deve concordar com o especificador ("eleitoras"), o adjetivo também deve concordar. Por isso se flexiona o adjetivo no feminino plural ("satisfeitas").

Vamos pensar em "21% do eleitorado".

COMO SE FAZ A CONCORDÂNCIA?

Tanto o verbo quanto o adjetivo concordam com "eleitorado": "21% do eleitorado ficou satisfeito".

Na imprensa, a questão parece resolvida. O padrão adotado pelos grandes jornais e pelas grandes revistas é esse. Já na TV e no rádio, a coisa oscila um pouco, mas parece que, aos poucos, também se chega a essa conclusão.

No caso das porcentagens, parece que o fator determinante da concordância é a proximidade. Quando se diz "14%", apesar de "14" ser plural, a expressão "por cento", lida em seguida, neutraliza essa idéia de plural. É como se isso formasse um bloco, uma unidade. Se o que vem em seguida é singular ("14% do eleitorado", por exemplo), a idéia de singular se torna mais forte ainda. Como se torna forte a idéia de plural quando o que vem em seguida é plural ("14% dos eleitores", por exemplo).

"PORCENTAGEM" OU "PERCENTAGEM"?

Talvez a forma mais usada seja "porcentagem", mas "percentagem" também é registrada nos dicionários e no "Vocabulário Ortográfico da Língua Portuguesa", da Academia Brasileira de Letras. Também se registra a forma "percentualidade", com o mesmo significado de "porcentagem" e "percentagem". Mas é preciso tomar cuidado com "porcentual" e "percentual".
O "Vocabulário" registra as duas, mas os dicionários só acolhem a forma "percentual". Como se vê, "percentual" é indiscutível; "porcentual" é motivo certo para polêmicas. É bom lembrar que tudo isso se deve ao fato de a atual preposição "por" vir do latim "per".

E AS FRAÇÕES?

Já no caso das frações, a história é um pouco diferente. As gramáticas dizem que o verbo deve concordar com o numerador da fração, ou seja, com o número de cima. Então, quando se diz "2/3 do eleitorado", o verbo concorda com o número "2", numerador da fração: "2/3 do eleitorado recusaram-se a aceitar a proposta." Se você disser "1/3 dos eleitores", deverá fazer o verbo concordar com o número "1", numerador da fração: "1/3 dos eleitores recusou-se a aceitar a proposta."

COMO EXPLICAR O FATO DE O VERBO APRESENTAR COMPORTAMENTOS DIFERENTES EM SITUAÇÕES TÃO PARECIDAS?

No caso das frações, quando o numerador é plural, parece que pesa o fato de haver duas palavras no plural (a palavra "dois" e a palavra "terços", por exemplo). Quando o numerador é singular, há duas palavras no singular ("um" e "terço", por exemplo). Parece que é por aí. Parece. Na verdade, é meio complicado afirmar isso.

De qualquer maneira, são essas as tendências dominantes em relação a esses casos de concordância.

"BOXES " É PLURAL DE QUÊ?

Já que falamos de singular e plural, vamos ver qual é o singular de "boxes". Muitos vão estranhar, mas os dicionários registram apenas a grafia "boxe", para qualquer dos sentidos. O lugar em que se toma banho é "boxe". O lugar em que trabalham mecânicos de carros de corrida também é "boxe". Sim, "boxe". Essa palavra não é portuguesa, mas já foi aportuguesada. Com "e" no final. E como fica o plural? O plural só pode ser "boxes". Mas, por favor, nada de "faxes".

O PLURAL DE "FAX"

Não pode ser "faxes". O plural de "tórax" é "tórax" mesmo; o de "xerox" (ou "xérox", tanto faz) também é "xerox" (ou "xérox"). O plural de "fax" é "fax": "Já mandei dois fax, mas ele não me respondeu".

exercício 39

1- Complete as frases abaixo com os verbos indicados entre parênteses, flexionados no presente do indicativo:

a) 60% dos entrevistados_______________ música pop. (preferir)

b) 60% da turma_____________ cinema. (preferir)

c) 1% do grupo ________________ com o orientador. (concordar)

d) 1% dos entrevistados __________________com o orientador. (concordar)

e) 20% da população ____________________ para o trabalho voluntário. (estar preparado)

f) 20% das mulheres ___________________________ para o trabalho. (estar preparado)

g) 30% ___________ de política. (gostar)

h) 1% ___________ no candidato da situação. (votar)

i) 1,5% ___________ na oposição. (votar)

j) Dos presentes, 1% ___________ a favor da reeleição. (votar)

l) Da frota da empresa, 30% não ___________ em condição favorável. (estar)

m) Da safra anual, 45% se ___________ por falta de armazenagem adequada. (perder)

n) Esses 90% da população ___________ entender que a situação mudou. (precisar)

o) Aqueles 25% da turma ___________ de atenção especial. (precisar)

A concordância, o hífen e alguns leitores

A concordância do verbo com o sujeito composto e alguns casos do emprego do hífen

No capículo 10, discuti concordância de "existir". Um dos exemplos foi tirado da música "Sentado à Beira do Caminho", de Roberto e Erasmo ("Onde a tristeza e a saudade de você ainda existe").

> RELEMBRANDO
>
> A regra básica de concordância verbal diz que o verbo concorda com o sujeito.

Pois bem. Veja como são os caminhos da vida. Cena 1: um leitor, cujo nome não posso revelar –ele proibiu!–, perdeu seu precioso tempo para escrever-me e afirmar que "desconheço a regra que diz que, quando o sujeito é formado por palavras de sentido muito próximo...". Ora pipocas, antes de perder seu precioso tempo para escrever, ir até o correio etc., não é mais fácil ler meu texto com atenção e, se necessário, relê-lo?

Cena 2: a cantora Leila Pinheiro, de cuja voz gosto muito, tinha acabado de lançar mais um belo CD, chamado "Na Ponta da Língua", nome de uma canção do ótimo compositor paulista Walter Franco. No disco, Leila canta –muito bem– justamente a música "Sentado à Beira do Caminho". Surpresa: Leila diz "a tristeza e a saudade de você ainda existem".

RELEMBRANDO

Expliquei que há erro de concordância, talvez forçado pela necessidade (ou vontade) de fazer rima com "triste" ("nesta estrada triste, onde a tristeza e a saudade de você ainda existe"). Citei uma regra gramatical que diz que, quando o sujeito é formado por palavras de significado muito próximo, é possível enfatizar a unidade de sentido empregando o verbo no singular ("Rancor e ódio acaba com ele"). Expliquei também que não parece possível aplicar esse princípio à letra da canção, porque um dos núcleos do sujeito ("saudade") vem modificado pela expressão "de você", o que cria definitiva autonomia entre esses núcleos ("saudade" e "tristeza") e, conseqüentemente, impõe o verbo no plural ("existem").

A cantora já tinha corrigido a letra de uma bela canção de Edson Trindade ("Gostava Tanto de Você"), gravada inicialmente por Tim Maia com erro de regência ("lugar qualquer que não exista o pensamento em você"). Ao gravar a música, Leila não teve dúvida e acrescentou a mais do que necessária preposição "em": "Lugar qualquer em que não exista o pensamento em você". Afinal, o pensamento existe em algum lugar.

Eu já tinha o CD, mas pensei seriamente em comprar mais um para mandá-lo ao leitor. Vou até tentar pedir à querida Leila que o autografe, com dedicatória e tudo.

"AO-PÉ-DA-LETRA" OU "AO PÉ DA LETRA"?

Por falar em leitores, um outro, de Brasília, escreveu-me para contestar o título da coluna. Disse que deveria ser "Ao Pé-da-Letra", com hífen, e não "Ao Pé da Letra", como é. "Não poderia silenciar diante de tamanha incorreção gramatical em uma coluna que se propõe a ensinar regras gramaticais", disse o senhor Mauro.

Sugeri que consultasse o verbete "letra" nos dicionários. Aurélio e Aulete bastam? Ou será que, na opinião do leitor, os dois mestres também são analfabetos?

Voltando ao título da coluna, não se justifica o hífen por uma razão muito simples: a palavra "pé" não perdeu sua identidade de sentido, não criou com as demais palavras ("da letra") unidade de sentido. Veja o caso de "pé-de-moleque". "Pé" perdeu sua autonomia. Ninguém recebe o pé de uma criança quando pede no bar um "pé-de-moleque". É por isso que, nesse caso, ocorre o hífen.

RELEMBRANDO - HÍFEN EM PALAVRAS COMPOSTAS

Utiliza-se hífen para unir os elementos de muitas palavras compostas: "louva-a-deus", "pão-duro", "guarda-pó", "jacaré-de-papo-amarelo" etc. Muitas vezes o uso do hífen estabelece distinção entre palavras compostas e expressões adverbiais ou adjetivas, como ocorre em "dia-a-dia" (substantivo composto, equivalente a "o correr dos dias", "o cotidiano") e "dia a dia" (expressão adverbial de tempo, equivalente a "dia após dia", "diariamente").

Já na expressão "ao pé da letra", a palavra "pé" é usada metaforicamente com o valor de "base", como em "pé da montanha". Uma expressão tomada "ao pé da letra" é tomada no sentido básico, essencial, literal. Aliás, "literal" vem da palavra "letra", do latim.

É da mesma raiz de "literatura".

O PLURAL DE "PÔR-DO-SOL"

Uma leitora achou estranho o plural de "pôr-do-sol" recomendado pelo "Aurélio": "pores-do-sol". É estranho mesmo, mas é assim. Trata-se de substantivo composto formado por três elementos, dos quais o segundo é preposição ("de"). Nesses casos, o procedimento é padrão: só varia o primeiro elemento. Veja estes exemplos: "pé-de-moleque/pés-de-moleque", "mula-sem-cabeça/mulas-sem-cabeça", "lua-de-mel/luas-de-mel". Apesar da estranheza que a forma "pores" causa, o plural de "pôr-do-sol" é mesmo "pores-do-sol": "São belos os pores-do-sol em Petrópolis".

"O CRITÉRIO ESTÃO"

Um leitor disse que ouviu na televisão: "O critério dele nos cartões estão muito bons". Realmente a concordância é de doer. Acontece. Em língua, esse tipo de erro se explica pelo efeito da proximidade. A palavra "cartões", que vem antes do verbo, induz o falante a conjugá-lo no plural. É claro que a concordância está errada. O núcleo do sujeito é "critério", e o critério está: "O critério dele nos cartões está muito bom". Isso é muito comum quando se faz televisão ao vivo. "O preço dos carros usados estão em alta", ouvi recentemente. O preço estão? Não, o preço está. O preço dos carros usados está.

Por fim, repito o que já disse várias vezes: não sou dono da verdade. Em língua, o mínimo necessário é cautela. E assim pretendo seguir.

exercício 40

1- Complete as frases a seguir com a forma adequada do verbo colocado entre parênteses, flexionado no pretérito perfeito do indicativo:

a) A equipe e o gerente ________________ o erro cometido durante o planejamento. (notar)

b) Naquela semana, a tristeza e a saudade ______________________ seu coração. (castigar)

c) O crescimento da economia e a queda dos juros não ________________ que o índice da Bolsa voltasse a cair. (impedir)

d) Audiência e qualidade ____________________ para o sucesso do programa. (contribuir)

2- Use o hífen, quando necessário:

a) Por favor, mamãe: se for à feira, traga-me um pé de moleque.

____

b) Mas isso é um guarda chuva ou um guarda sol?

____

c) Esta mochila é muito grande; coloque-a no porta malas.

____

d) Já ouvi dizer que seu namorado é um verdadeiro pé de valsa. Isso é verdade?

____

Equívocos e impropriedades

Uso indevido de certas palavras e expressões

Em época de "pacotes de medidas" do governo (os chamados "pacotaços"), de boatos, verdades e mentiras, é um tal de ouvir algumas palavras que pouca gente gosta de ouvir.

"Calote" e "inadimplência", termos que costumam freqüentar o noticiário, são bons exemplos. A imprensa usa essas palavras como se fossem sinônimas, como se apresentassem o mesmo significado. E é aí que mora o perigo. Nos tempos do "politicamente correto", confundir "calote" com "inadimplência" é meio complicado.

Para começar, o dicionário "Aurélio" diz que a palavra "calote" é da linguagem familiar. Significa "dívida não paga, e/ou contraída sem intenção de pagamento". É claro o valor pejorativo da palavra. Quando se chama alguém de "caloteiro", ou quando se diz que alguém é "caloteiro", afirma-se que a pessoa tem o mau hábito de não pagar, assume dívidas que não pode pagar, com a clara intenção de não pagar.

"Inadimplência" é outra história. Antes, é bom saber que se pode usar "inadimplência" ou "inadimplimento". Também é bom saber que "inadimplência" é o "ato de inadimplir". E que "inadimplir" é termo jurídico, ou seja, técnico, pertencente a linguagem específica. Significa "deixar de cumprir no termo convencionado um contrato ou qualquer de suas condições".

É claro que no boteco da esquina se pode dizer que "anda grande o calote nas prestações". Mas, em linguagem específica —jurídica, jornalística—, não se justifica esse emprego.

CASAS "GERMINADAS"

Quem é que nunca ouviu isso? As casas são "geminadas", e não "germinadas". "Germinar" é o que fazem as sementes, quando começam a desenvolver-se. Casas, infelizmente, não brotam. Seria uma ótima solução para o problema habitacional do país. Casas duplicadas, feitas aos pares, são geminadas, sem "r". "Geminadas" e "geminar" são palavras da mesma família. E "geminado" é sinônimo de "gêmino": "casas gêminas" ou "geminadas".

Estamos diante de um fato mais do que claro: a necessidade da adequação da linguagem e da terminologia à situação, ao contexto. Isso é a chamada propriedade lingüística. O que é adequado na praia talvez não seja no tribunal, na repartição pública, na escola, no banco, no consultório médico etc. O que é adequado em uma região do país talvez não seja em outra.

A palavra "rapariga" é ótimo exemplo. Nos dicionários, aparece como sinônimo de "moça, mulher nova". Em Portugal, é esse o uso que se faz. Lá, uma "rapariga" é uma moça, uma jovem. Em algumas regiões do Brasil, "rapariga" é sinônimo de "prostituta", "meretriz". O que fazer? Devagar com o andor. Caetano Veloso me disse, irado —e com razão—, que alguém tinha condenado o título da versão brasileira de uma obra de Proust: "À sombra das raparigas em flor". Exigiram a troca de "raparigas" por "moças". Francamente, a troca é absurda. Trata-se de linguagem culta, e, nesse caso, o bom senso deve imperar.

Enquadram-se na lista de impropriedades as expressões cujo sentido é trocado. Dia desses, ouvi eminente jurista dizer que "esse procedimento não faz jus à posição dele".

O QUE É "FAZER JUS"?

"Jus" é palavra latina. Significa "direito". "Fazer jus a algo" é ter direito, fazer-se merecedor. Certamente, o jurista queria dizer que o tal procedimento não condiz com a posição da pessoa em questão. Trocou "fazer jus" por "condizer".

"DISCRIÇÃO" OU "DISCREÇÃO"?

Mais uma ovelha negra. Existem pessoas discretas, certo? É claro que existem, como também existem as indiscretas —chatíssimas. E as pessoas discretas possuem uma qualidade. Como se chama essa qualidade? "Discreção"? Não. Pessoas discretas, com "e", agem com discrição, com "i". É óbvio que isso também vale para a indiscreto, com "e", da qual se faz "indiscrição", com "i": "Não seja indiscreto. Mantenha a discrição". E nada de confundir isso com "descrição", que é o ato de descrever.

"De repente" também freqüenta o território das banalidades. Hoje em dia, tudo acontece "de repente". Em textos formais, não se deve usar essa expressão sem o seu sentido original, de algo que acontece subitamente, inesperadamente, repentinamente.

Desse time também faz parte a expressão "com certeza": "Você comprou o leite?", pergunta alguém. E a outra pessoa responde: "Com certeza!".

PARA QUE TANTA CERTEZA?

A expressão já perdeu a força, tamanha a banalidade com que é empregada.

E que tal confundir "usuário" com "usurário"? "Usuário" é palavra usada e conhecida. Dispensa explicações. "Usurário" é quem pratica usura, ou seja, quem vive de agiotagem. Como a palavra "usurário" é pouco usada, não é difícil vê-la trocada por "usuário" em frases como "A igreja condena os usuários". É "usurários" mesmo, a quem a Igreja de fato condena, por considerar pecado a usura.

Para encerrar esse rol de impropriedades, o verbo "extorquir": "O funcionário da prefeitura extorquia os donos de construtoras". "Extorquir" significa "tirar algo de alguém mediante algum tipo de coação, de violência". Então, na língua culta, um funcionário da prefeitura pode extorquir dinheiro (ou bens materiais, segredos, confissões) dos donos das construtoras, mas não pode "extorquir" essas pessoas.

ROUPAS EM COURO

Certas manias aparecem —ninguém sabe de onde— e, às vezes, ficam. Uma propaganda de umas das fábricas de automóveis instaladas no Brasil anunciava que o carro tinha "bancos em couro". Desde quando isso é português? O banco é "de couro", é não "em couro". Outra bobagem monumental é dizer "paredes em verde". Faz muito, muito tempo que em português as paredes são verdes — e não "em verde".

O PARTO É "CESÁREO" OU "CESÁRIO"?

Outra armadilha da língua. O parto é "cesáreo", mas a operação é "cesariana". É claro que o feminino de "cesáreo" é "cesárea": "Aquele médico faz uma cesárea por dia". E é claro que o masculino de "cesariana" é "cesariano": "Não se aconselha o parto cesariano desnecessário". Então o parto é cesáreo ou cesariano. Por falar em parto, é bom lembrar que existe aquele feito a "fórceps", instrumento cirúrgico. Detalhe: existe a forma variante "fórcipe". O parto pode ser "a fórceps" ou "a fórcipe".

exercício 41

1- Complete as frases abaixo com as expressões corretas apresentadas entre parênteses:

a) Suas propostas vêm ________________ nossos interesses, por isso apoiaremos sua candidatura. (ao encontro dos/de encontro aos)

b) Suas propostas vêm ________________ nossos interesses, por isso não apoiaremos sua candidatura. (ao encontro dos/de encontro aos)

c) A torcida já não ________________ possibilidades de classificação. (vislumbra/deslumbra)

d) Com suas jogadas, o atacante ________________ a torcida. (vislumbra/deslumbra)

e) O exame estava marcado para o dia dez. Com a ________________ da data, passou para o dia dezoito. (ratificação/retificação)

f) O professor não quis ouvir os argumentos do aluno e ________________ a nota. (ratificou/retificou)

g) Amanhã eles se reunirão em ________________ extraordinária. (seção/sessão)

h) Ele trabalha na ________________ de peças. (seção/sessão)

i) O ladrão ________________ o empresário na porta da fábrica. (raptou/seqüestrou)

j) Ela foi a segunda moça ________________ pelo maníaco. (raptada/seqüestrada)

Você, você, você...

O emprego de "você"

A Unicamp (Universidade de Campinas) é reconhecida no país por muitos de seus méritos. E, a bem da verdade, a Unicamp começa bem já no vestibular. Muitas das questões —é pena que não sejam todas— são interessantes, inteligentes, de ótimo nível.

O vestibular dessa importante escola começou em 1987. Nesse ano, justamente a primeira questão da prova de português pedia ao aluno que indicasse as marcas típicas da oralidade, ou seja, da língua falada, presentes no discurso de um engenheiro eletrônico. Tratava-se de uma entrevista concedida por ele a um jornal. Disse o engenheiro: "Os grandes problemas, você deve ter um desenvolvimento tecnológico local".

O QUE É JARGÃO?

É a linguagem típica de determinada atividade profissional. Os policiais, por exemplo, dizem "elemento", quando se referem a uma pessoa, e "positivo", quando confirmam uma informação.

A questão pedia que o aluno reescrevesse a frase, adequando-a "à língua escrita culta". De imediato, chama a atenção a falta de conexão. A expressão "os grandes problemas" parece atirada, jogada, perdida. Falta verbo, falta algo que una essa expressão ao resto da frase. Talvez algo como "Para resolver os grandes problemas, você...". Epa!

"VOCÊ"? QUEM É "VOCÊ"?

Até prova em contrário, "você" é a pessoa com quem se conversa, o interlocutor. "Você" é o interlocutor. E esse "você" da resposta do engenheiro parece muito pouco para a dimensão —nacional— do pensamento. Parece que o que o engenheiro realmente queria dizer era algo mais ou menos assim: "Para resolver os grandes problemas, é preciso desenvolvimento tecnológico local". Ou: "A solução dos grandes problemas exige desenvolvimento tecnológico local". Ou ainda: "Para a solução dos grandes problemas, exige-se desenvolvimento tecnológico local".

PERCEBEU?

O "você" do engenheiro não era a pessoa com quem ele conversava. E é aí que quero chegar. É cada vez mais freqüente, na linguagem oral, o uso da palavra "você" com valor genérico. Dia desses, ouvi famoso jogador de futebol dizer que "quando você bate na bola com o lado de fora do pé...". Ouvi também uma mulher dizer a um repórter —repito: um repórter, homem, do sexo masculino— que "quando você está grávida...". O repórter fez cara de espanto, com os olhos arregalados, como que a perguntar: "Eu? Grávida?".

Na transmissão de um Grande Prêmio de Fórmula 1, para explicar o regulamento, um locutor disse que, "quando você deixa o carro morrer na largada, deve ir para o fim da fila". Como houve duas ameaças de largada, o locutor disse pelo menos duas vezes que "quando você...".

O problema é que o locutor não estava conversando com os pilotos, e sim com o telespectador, que não deixa carro morrer na largada, por uma razão muito simples: não participa de corridas.

EU, HEIN!

Depois de ser submetido a uma intervenção cirúrgica, um piloto de Fórmula 1 discorria sobre seu estado de saúde, a recuperação e os planos. Lá pelas tantas, ele disparou esta impagável construção: "Quando você colocava o cinto, doía muito". Caro piloto, torço muito por você, mas não a ponto de compartilhar a sua dor!

Pelo menos na linguagem formal, culta, é bastante desejável a eliminação desse cacoete. É cansativo, pobre e enfadonho o uso da palavra "você" como indicador de algo genérico, coletivo. No caso da corrida, bastaria dizer que, "quando se deixa o carro morrer na largada, deve-se ir para o fim da fila". Também se poderia dizer que, "quando o piloto deixa o carro morrer na largada, deve ir para o fim da fila".

Um político muito conhecido é outro que abusa do bendito "você" que não é "você". Esse governador de importante Estado repete à exaustão que, "quando você investe bem o dinheiro do povo", "quando você aplica no social", "quando você faz o que realmente é necessário para o povo", "quando você...".

Vamos quebrar a monotonia: "Quando se investe bem o dinheiro do povo" (ou "Quando o governo/os governantes investe/investem bem o dinheiro do povo"); "Quando se aplica no social" (ou "Quando o governo/os governantes aplica/aplicam no social"); "Quando se faz o que realmente é necessário para o povo" (ou "Quando o governo/os governantes faz/fazem o que realmente é necessário para o povo").

SEGUINDO O CHEFE

O vice desse querido governador tem-se mostrado fiel seguidor do mestre. É um tal de "Se você aplicar bem os recursos, terá um resultado satisfatório..." Fiquei muito feliz ao ouvir a frase. Por um breve instante, cheguei a pensar que havia resolvido todas as minhas questões orçamentárias...

Uma ex-aluna esteve na Austrália, para estudar. Lá ficou alguns meses. Viciada em você, traduzia essa história de "você" ao pé da letra. A todo instante, dizia "When you..." ("Quando você", em inglês). Diz ela que as pessoas se assustavam. Punham a mão no peito e diziam —em inglês, é claro: "Eu, não!". No começo, minha ex-aluna não entendia o porquê da reação. Não demorou muito para perceber.

Talvez haja uma explicação sociolingüística ou psicolingüística para o sumiço dos indicadores genéricos da nossa linguagem oral. Será que não é, mais uma vez, porque o brasileiro tem pavor do que é coletivo, genérico, ou seja, tudo no Brasil precisa ser individual, personalizado? Quem sabe. Os antropólogos também podem meter a colher.

Aceitam-se sugestões. E lá vai uma, mais do que urgente: pelo menos em situações formais — sobretudo na escrita—, pare com esse cacoete de usar "você" que não é "você".

exercício 42

Redija o texto abaixo substituindo os "vocês" ambíguos e desnecessários por expressões apropriadas. Atenção: obviamente, existe mais de uma maneira de resolver o exercício. Use sua criatividade.

Márcia querida,

Você nem imagina o que tenho para lhe contar! Depois de alguns meses, resolvi seguir os conselhos de uma grande amiga, que me disse que, quando você percebe que o casamento não vai muito bem, o melhor que você pode fazer é pular fora o quanto antes. Ela acha que, se existe a possibilidade de a relação fracassar, é melhor você poupar as crianças. Alguns especialistas, no entanto, dizem que você tem de suportar a situação, pois o que a criança quer mesmo é ver os pais juntos, mesmo que infelizes. O que você acha?

Independentemente de qualquer coisa, resolvi ouvir o meu coração, sábio e fiel conselheiro, e pus um fim naquela história toda. Quando você ouve a voz do coração, não há erro! Porque, no fim das contas, é ele quem mais conhece você mesma...

Mas, voltando às novidades, o coração me pregou outra peça: descobri-me apaixonada por um velho amigo, alguns meses depois da separação. Você sabe, as pessoas logo fazem mau juízo e começam aquela velha ladainha de que você agiu de caso pensado... Será que é tão difícil assim você acreditar nos semelhantes? Está certo que tudo se passou apenas dois meses depois, mas por que iria esconder um romance se o casamento já havia chegado ao fim? Quando você age com determinação, a inveja parece tomar todos os nossos amigos de sobressalto.

Mas, para encurtar essa história, casei com esse amigo e estamos muito felizes. Daqui a um mês teremos nosso primeiro filho!

"Ele é o onzeno filho"

Alguns numerais portugueses

Já vai longe o tempo em que se pensava que, para saber uma língua —português, no nosso caso—, bastava decorar listas e listas. Nem pensar. Hoje, felizmente, as mais inteligentes provas de português exigem dos candidatos fundamentalmente a capacidade de operar com a língua, de reconhecer um fato lingüístico e aplicá-lo na elaboração e na compreensão de um texto.

Assim sendo, a chamada decoreba está com os dias mais do que contados. Mas, do mesmo jeito que em matemática é necessário memorizar a tabuada, em língua também é preciso usar a memória para tentar gravar determinadas palavras. E os gloriosos numerais são um ótimo exemplo disso. Temos dificuldade com eles, a começar pela grafia de certos cardinais.

RELEMBRANDO - NUMERAIS CARDINAIS

Para quem já esqueceu, lá vai: são aqueles que indicam quantidade ("um", "dois", "três", "quatro" etc.).

Por incrível que pareça, no Brasil, muita gente letrada não sabe preencher um mísero cheque. Na hora de fazer um cheque de R$ 50,00, por exemplo, é um bafafá. Não existe "cincoenta". A única grafia possível é "cinqüenta", com "qu" e trema, que, aliás, não morreu.

TREMA

Ainda vale e deve ser usado nos grupos "gue", "gui", "que", "qui", quando o "u" é pronunciado atonamente.
Exemplos: "agüentar", "pingüim" etc.
Há palavras em que o trema é opcional, porque a pronúncia é opcional: "liquidar" ou "liqüidar", "sanguíneo" ou "sangüíneo", "séquito" ou "séqüito" etc.

E UM CHEQUE DE R$600,00?

É famosa a história de Vicente Matheus, que por muito tempo foi presidente do Corinthians. Ao preencher um cheque, para não correr risco de dar vexame, não teve dúvida: fez logo dois de 300. O problema é que muita gente erra até a grafia de 300. Vamos lá: "trezentos". E, para não precisar fazer dois de 300, você pode fazer um de 600, grafando "seiscentos", com "sc".

E COMO SE GRAFA 14?

De duas maneiras: "catorze" ou "quatorze". Outro numeral problemático é o bendito "um". Não existe "hum". E, como já afirmei em outro texto, não se escreve (nem se diz) "um mil reais", nem "um mil e duzentos reais". Basta escrever "mil reais", "mil e duzentos reais".

Nada de escrever "treis". Nada de escrever "deiz". Escreva "três" e "dez". Sei muito bem que a esta altura muita gente deve estar dizendo que isso só ocorre nos cheques, para que se evitem possíveis casos de falsificação. Não é bem assim. Muita gente escreve "treiz" ou "treis" por pura convicção. Em São Paulo, existe até uma empresa de transportes chamada "Treiz Meninas". O nome está escrito em letras garrafais nos caminhões da companhia.

Outro caso interessante é o dos numerais ordinais. Você já percebeu o que acontece em elevadores de edifícios comerciais? O primeiro passageiro que entra diz "segundo". Depois, alguém diz "sétimo". Depois "oitavo", "quinto", "terceiro". Até que entra alguém e diz "doze". E os seguintes: "catorze", "dezoito" etc.

RELEMBRANDO - NUMERAIS ORDINAIS

Como o nome já diz, os ordinais são aqueles que indicam ordem: "primeiro", "segundo", "décimo", "vigésimo", "trigésimo" etc.

Não temos o hábito de usar os ordinais no dia-a-dia, sobretudo a partir do correspondente a "onze", que, por sinal, pode ser "décimo primeiro", "undécimo" ou "onzeno".

"ONZENO?" JÁ PENSOU?

Você entra no elevador e diz ao ascensorista: "Onzeno". Haja estômago e coragem!

De "quarenta" para cima, a coisa engrossa de vez. Como são usados raramente, ficam adormecidos na memória, que às vezes os apaga de vez. Vamos lá: "quadragésimo", "qüinquagésimo", "sexagésimo", "septuagésimo" (ou "setuagésimo"), "octogésimo" (e não "octagésimo"), "nonagésimo", "centésimo".

A complicação não termina aí. O de "duzentos" é "ducentésimo". O de "trezentos" é dado de duas formas. Alguns dicionários só registram "tricentésimo". Outros, só "trecentésimo". E outros registram as duas formas.

A glória chega com "quatrocentos": "quadringentésimo".

GOSTOU?

Repito: "quadringentésimo". E chega. Você pode muito bem consultar a lista completa numa boa gramática. Pode também consultar dicionários.

É bom dizer que muitos numerais são palavras variáveis, ou seja, têm variação de número (singular/plural) e gênero (masculino/feminino). E essa variação é feita de acordo com o substantivo a que se refere o numeral. Então, como "milhão" é palavra masculina, deve-se dizer "os dois milhões de doses de vacina", e nunca "as duas milhões de doses de vacina". Também se deve dizer "dois milhões de mulheres", e não "duas milhões de mulheres".

exercício 43

1- Preencha as frases abaixo, com base nas orientações fornecidas:

a) Não se deve usar _____ antes de mil: "O aluguel custa _____ reais". " _____ mil" e " _____ mil" são tradicionalmente utilizados no preenchimento de cheques e devem limitar-se a esse uso.

b) ________ e ________ são palavras masculinas; por isso, o artigo e os numerais que se referem a elas devem ser masculinos: " ________________ milhões de libras"; "Dênis juntou dois ________ de tampinhas"; "Alexandre ganhou cinco ________ na loteria".

c) No lugar de qualquer multiplicativo pode ser usada a combinação numeral ________ + ________ . Essa combinação supre os casos em que não há formas especiais como treze vezes, quarenta e seis vezes, cinqüenta e duas vezes etc.

d) ________ , no Brasil, significa "mil milhões" (10^9 ou 1.000.000.000); em Portugal, "um milhão de milhões" (10^{12} ou 1.000.000.000.000).

e) Os numerais ___________ propriamente ditos são ________ (ou ________) e ________ . Os demais são na verdade expressos pelo _________ correspondente ou pelo _________ seguido da palavra _________ : treze ________ , trinta ________ etc.

2- Complete o quadro abaixo:

Algarismo arábico	Numerais Cardinais	Numerais Ordinais	Algarismo arábico	Numerais Cardinais	Numerais Ordinais
11	________	______________	18	________	______________
12	________	______________	19	________	______________
13	________	______________	20	________	______________
14	________	______________	21	________	______________
15	________	______________	30	________	______________
16	________	______________	40	________	______________
17	________	______________	50	________	______________

Concordâncias enjoadas

Concordância com numerais; o verbo faltar

Terminei o último texto citando o caso da concordância com a palavra "milhão". Como se sabe, "milhão" é palavra masculina. Ninguém diria "uma milhão" de coisa alguma.

O problema não está no singular, mas no plural. Quando se passa de "um", tem-se notado forte tendência para a concordância com o que é quantificado. Tradução: não só na língua oral, como também na imprensa, nota-se forte tendência para o emprego de construções como "duas milhões de doses", "as várias milhões de pessoas" etc. O artigo ("as") e o numeral ("duas") acabam concordando com o objeto quantificado ("doses" e "pessoas", respectivamente).

Apesar da forte tendência, as gramáticas continuam desabonando esse procedimento. E parece mais do que razoável que o façam, sobretudo no que diz respeito ao padrão formal da língua.

Entrevistei para a TV Cultura, emissora na qual apresento o programa Nossa Língua Portuguesa, o poeta e roteirista maranhense Ferreira Gullar. Quando falamos de norma lingüística, Gullar bradou contra aquilo que chamou de "permissividade". E citou justamente o caso de "duas milhões de doses".

"ALGUÉM POR ACASO DIZ 'DOIS DÚZIAS DE OVOS'?", PERGUNTOU O POETA.

É claro que não. Da mesma forma que se diz "duas dúzias de ovos", ou seja, da mesma forma que se faz o numeral concordar com "dúzias", palavra feminina, e não com "ovos", palavra masculina, deve-se fazer o numeral "dois", masculino, concordar com "milhões", palavra masculina, e não com "doses", palavra feminina: "dois milhões de doses".

FALTAM DOIS, FALTA UM

Que o respeito às regras de concordância não é comum na língua oral do Brasil é fato indesmentível. Mas Zagallo é um dos que normalmente acertam no verbo "faltar". Com sua obstinação –verdadeira obsessão–, desde o primeiro jogo da Copa de 1998 Zagallo empregou –corretamente– o verbo "faltar": "Faltam seis"; "Faltam cinco"; "Faltam quatro" etc. No último jogo, o técnico deu de fazer a seqüência completa. Contaminado pelo plural, disse "Faltam um". "Falta um", é claro.

Voltando a Gullar, vale a pena citar que o poeta sempre foi homem de vanguarda –política e intelectualmente–, mas nem por isso abraça causas supostamente libertárias de alguns lingüistas supostamente progressistas, segundo os quais em língua "sempre o que vale é o uso".

Outro caso enjoado é o das expressões numéricas que viraram moda no jornalismo pós-tecnocratês: 0,9 litro, 1,5 milhão, 1,8 tonelada, 1,7 bilhão.

A DISCUSSÃO É INTERMINÁVEL: BILHÃO OU BILHÕES, LITRO OU LITROS?

Os principais órgãos da imprensa deste país têm usado sistematicamente no singular o substantivo que indica algum tipo de medida ou grandeza –litro, milhão, tonelada–, quando o numeral é inferior a dois: 0,9 litro, 1,4 metro, 0,98 tonelada.

O problema é que esse padrão é pouco produtivo. Na prática, ao encontrar "1,5 bilhão", ninguém lê "um vírgula cinco bilhão". O que se lê mesmo é "um bilhão e meio". Quando se encontra "1,7 milhão", é mais provável que se leia "um milhão e setecentos mil". De qualquer maneira, parecem mais do que sacramentadas e abonadas, na imprensa e nos textos técnicos, as formas "0,8 litro", "1,4 milhão" etc.

Também é enjoado o caso da palavra "milhar", dada nos dicionários e gramáticas como masculina: "o milhar", "um milhar". Certamente por contaminação com a palavra "mil", neutra, isto é, nem masculina, nem feminina ("mil homens", "mil mulheres"), a palavra "milhar" tem sido usada exatamente como se usa a palavra "mil": "os milhares de buracos", "as milhares de vezes".

Sempre levando em conta a gramática normativa e os dicionários como referência, dever-se-ia dizer "os milhares de vezes", "os milhares de mulheres", "os muitos milhares de crianças", "os milhares de mãos que trabalharam na obra" etc.

É. Não é nada fácil a posição do gramático. Constatar que em muitos casos o uso difere da norma é colocar a mão em vespeiro.

Para terminar, o caso da concordância verbal com expressões como "um milhão de candidatos".

COMO FICA O VERBO? NO SINGULAR OU NO PLURAL?

Vale aqui o mesmo princípio que se aplica quando se trata da concordância verbal com os coletivos. Quando se diz "um grupo de empresários", pode-se concordar o verbo com "grupo", coletivo, ou com "empresários", especificador do coletivo. Portanto pode-se dizer "Um grupo de empresários participará do seminário" ou –o que faz muita gente torcer o nariz– "Um grupo de empresários participarão do seminário". No primeiro caso, enfatiza-se o grupo. No segundo, os empresários.

"BAIXO AUTO-ESTIMA" OU "BAIXA AUTO-ESTIMA"?

Uma leitora quis saber se há erro na expressão "baixo auto-estima". Há erro. Palavras formadas por prefixação ("auto-" é um prefixo) mantêm o gênero da palavra à qual se agrega o prefixo. No caso de "auto-estima", vale o gênero de "estima", palavra feminina: a auto-estima, muita auto-estima, pouca auto-estima, baixa auto-estima etc. É bom lembrar que o prefixo "auto-" só se agrega com hífen a palavras que começam com h, r, s e vogal: auto-hemoterapia, auto-retrato, auto-serviço, auto-análise. Nos demais casos, nada de hífen: autotransformação, autocontrole etc. Voltando a "milhão", pode-se concluir, pois, que é possível dizer "Um milhão de candidatos fará prova no Rio", ou "Um milhão de candidatos farão prova no Rio".

"COMO PLANEJADO" OU "COMO PLANEJADAS"?

Um leitor mandou duas frases e quis saber qual é a correta: "As operações serão feitas como planejado" e "As operações serão feitas como planejadas". É possível analisar a questão de duas maneiras: "As operações serão feitas como (foi) planejado (fazê-las)" e "As operações serão feitas como (elas) foram planejadas". Portanto deduz-se que as duas construções são possíveis. Nesse caso, "como" equivale a "do mesmo modo que".

exercício 44

1- Responda às perguntas a seguir, com base nas orientações fornecidas:

a) "Ele tornou possível todos os meus sonhos" ou "Ele tornou possíveis todos os meus sonhos"?

Dica: "Possível" se refere a "sonhos", plural. Afinal, os sonhos é que se tornaram...

Resposta: ______________________________

b) "A Prefeitura não mantém limpas as ruas"ou

"A Prefeitura não mantém limpo as ruas"?

Dica: "Limpo" se refere a "ruas". Não é difícil manter ativos os princípios de concordância.

Resposta: ______________________________

c) "O critério dele nos cartões estão muito bons" ou

"O critério dele nos cartões está muito bom"?

Dica: Um leitor disse que ouviu na televisão: "O critério dele nos cartões estão muito bons". Em língua, esse tipo de dúvida se explica pelo efeito da proximidade. O núcleo do sujeito é "critério".

Resposta: ______________________________

d) "Um doce caseiro." E o plural? "Comida caseira." Plural...?

Dica: Um leitor quis saber como se faz o plural de "doce caseiro". Aplica-se neste caso o mesmo mecanismo que se aplica em "homem culto", "mulher culta", "homens cultos", "mulheres cultas", ou seja, trata-se da concordância de um adjetivo ("caseiro") com um substantivo ("doce").

Resposta: ______________________________

Respostas dos exercícios

Exercício 1

1- b)

2- Crêem, dêem, lêem, vêem, descrêem, relêem, prevêem, revêem, côo, vôo, enjôo, magôo, abotôo.

3- a) Tem.
b) Têm.
c) Vem.
d) Vêm.

4- a) Detém.
b) Detêm.
c) Mantém.
d) Mantêm.
e) Abstém.
f) Abstêm.
g) Retém.
h) Retêm.
i) Entretém.
j) Entretêm.
l) Provém.
m) Provêm.

Exercício 2

1- b)

2- a) Insiste.
b) Conclui/ concluí.
c) Saí/ sai.
d) Possui/ possuí.
e) Substitui.
f) Distribui.
g) Constitui.
h) Dirige.

3- a) Mói, rói, dói.

4- a) Moem, roem, doem.
b) Destrói, constrói, reconstrói.

Exercício 3

1- Frases corretas:
b, c, e, f, h, i, j, m, o.

2- a) Vou estudá-las.
b) Vou arquivá-los.
c) Vou analisá-las.
d) Vou examiná-las.

Exercício 4

1- Frases corretas: b, e, f, i.

2- a) Onde.
b) Onde.
c) Aonde.
d) Onde.
e) Aonde.
f) Aonde.
g) Onde.
h) Onde.
i) Onde.
j) Aonde.
l) Onde.

3- a) Apresentou um contrato cujas cláusulas são obscuras.
b) Ao voltarmos da praia, enfrentamos um enorme congestionamento, razão pela qual/ conseqüentemente/ por isso precisamos desviar para não perder tempo.
c) Está correta.

Exercício 5

1- a) Trigésimo sétimo.
b) Décimo quarto.
c) Vigésimo segundo.
d) Septuagésimo oitavo ou setuagésimo oitavo.
e) Octogésimo nono.
f) Centésimo décimo sétimo.
g) Ducentésimo décimo primeiro.
h) Ducentésimo qüinquagésimo quarto.

2- a) Duplo, dobro ou dúplice.
b) Triplo ou tríplice.
c) Quádruplo.
d) Quíntuplo.
e) Sêxtuplo.
f) Séptuplo ou sétuplo.
g) Óctuplo.
h) Nônuplo.
i) Décuplo.
j) Undécuplo.
l) Duodécuplo.
m) Cêntuplo.

3- a) (V) b) (F) c) (V) d) (V)

4- Mil reais.

Exercício 6

1- Alterativas corretas:
a, c, e, g, h.

2- a) Mas.
b) Mais.
c) Mal.
d) Mau.
e) As duas são possíveis; a escolha depende do sentido.
f) As duas são possíveis; a escolha depende do sentido.
g) Há.
h) A cerca de.
i) A fim.
j) Afim.
l) De mais.
m) Demais.
n) Se não.
o) Senão.
p) À medida que.

Exercício 7

1- Frases corretas: b, c, e, h.

2- a) Aos.
b) Aos.
c) De.
d) Com.
e) Ao.

3- a) Em (nas = em + as).
b) Ante.
c) Sob; de.
d) Sobre; a (à = a + a).
e) Em; perante.
f) Contra.
g) Até; de (da = de + a).
h) Após.
i) De; por.
j) Para.
l) Contra; de; em (no = em + o).
m) Com.
n) Desde; a; com.
o) Em; de.
p) Para; em.
q) De.

Exercício 8

1- Frases corretas: todas.

As opções das letras "c", "f", "i", "m" e "p", embora sejam corretas, são menos freqüentes na língua culta. "Foram eles quem combinaram o jantar" e "não fui eu quem cortei a grama" e outras semelhantes sempre causam um certo desconforto.

2- a) Que.
b) Quem.

3- a) Fui.
b) Fomos.
c) Foram.
d) Comeu.
e) Fez.
f) Esteve.

Exercício 9

1- a) 6 c) 3 e) 1
b) 5 d) 4 f) 2

2- a) O sentido original de "verbo" (vocábulo latino) é "palavra".
b) Uso desmedido, exagerado, abundante de palavras.

Exercício 10

a) Eleita/elegido.
b) Aceito/aceitado.
c) Paga/gasto/ganho.
d) Pagado ou pago/gastado ou gasto/ganhado ou ganho.
e) Chegado/pegado.
f) Entreaberto/visto/dito/escrito/ido.

Exercício 11

1- a) Além-mar.
b) Ante-sala.
c) Antididático.
d) Antiescravismo.
e) Anti-hemorrágico.
f) Arquimilionário.
g) Autobiografia.
h) Auto-suficiente.
i) Bem-comportado.
j) Contra-ofensiva.
l) Contraponto.
m) Contra-senso.
n) Extra-oficial.
o) Extra-regulamentar.
p) Infravermelho.
q) Intravenoso.
r) Mal-agradecido.
s) Malcriado.
t) Neomodernismo.
u) Neo-socialismo.
v) Pré-escolar.
x) Pró-democracia.
z) Pseudocientífico.

2- a) À toa – em vão, a esmo, sem rumo.
b) À-toa – vil, desprezível, vulgar.
c) Amor perfeito – um amor que é perfeito.
d) Amor-perfeito – flor.
e) Bem-vindo – que chegou a salvo; que chegou bem.
f) Benvindo – nome próprio.
g) Dia-a-dia – o correr dos dias, o cotidiano.
h) Dia a dia – dia após dia, diariamente.
i) Pão duro – pão endurecido.
j) Pão-duro – sovina, avarento.

Exercício 12

1-a) "Bonitos". O adjetivo vem antes e concorda com o mais próximo (olhos).

b) "Bonitas". O mesmo processo acima.

c) "Bonita", concordando com o mais próximo (blusa), ou "bonitas", concordando com os dois substantivos, que são femininos (saia e blusa).

d) "Bonitos". O substantivo mais próximo é masculino plural (sapatos), e aí, qualquer que seja o critério adotado — concordância por atração ou calculada—, o resultado será o mesmo.

2-a) As duas são corretas. Na primeira, a concordância é feita por atração. Na segunda, faz-se a concordância com o conjunto.

b) As duas são corretas. Com o verbo no plural (ficaram), o adjetivo (impressionados) deve ficar no masculino, por influência da palavra "cantor".

c) As duas são corretas. Na primeira, verbo (ficou) e adjetivo (impressionado) concordam com o elemento mais próximo (cantor). Na segunda ocorre o mesmo processo.

d) A primeira está errada. O primeiro núcleo do sujeito (cantores) está no plural. A forma correta é "ficaram impressionados". A segunda frase é correta, já que verbo e adjetivo concordam com o núcleo mais próximo (público).

e) A primeira é correta. O verbo (chegou) e o adjetivo (atrasada) concordam com o elemento mais próximo (diretora). A segunda é errada. Os dois substantivos (diretora e secretária) são femininos. A forma correta é "atrasadas".

f) As duas são corretas. Na primeira, "atrasadas" concorda com o substantivo mais próximo (secretárias). Na segunda, o adjetivo (atrasados) concorda com o conjunto, em que predomina o masculino (professores).

Exercício 13

1- Ao partir de Itabira, Helena prometeu a Paulo que voltaria em breve. Comprometeu-se também a enviar pequenas surpresas, as quais seguiriam anexas aos documentos. Ele, então, transbordando de carinho e ternura, disse à amada que não precisava se comprometer daquela forma, porém ansiava por receber uma foto, que poderia seguir inclusa à primeira remessa.

Assim que chegou à Cidade Maravilhosa, Helena encontrou uma realidade totalmente diferente da do interior de Minas Gerais! Dia sim, dia não, chegava uma carta de Paulo, e Helena, atarefadíssima, não encontrava tempo para responder. Como arrumar uma brecha para isso em meio a tantas atividades? Ela mesma não sabia. Ele continuava a escrever —já tinham chegado seis cartas dele—, e ela, a não responder. Jamais ficariam quites naquela situação.

Uma nova amiga tentou ajudar Helena. "Muito obrigada", disse ela, "eu mesma vou ter de resolver essa situação".

2- a) Meio.
b) Meia.
c) Bastante/ bastantes.
d) Meia/ meio.
e) Bastantes/ bastante.
f) Obrigadas/ mesmas.
g) Anexas.

Exercício 14

1- a) Sempre cumpro a promessa (eu);
Sempre cumpres a promessa (tu);
Sempre cumprimos a promessa (nós);
Sempre cumpris a promessa (vós).

b) Sempre sou surpreendido por gente indiscreta (eu);
Sempre és surpreendido por gente indiscreta (tu);
Sempre somos surpreendidos por gente indiscreta (nós);
Sempre sois surpreendidos por gente indiscreta (vós).

2- a) Faz anos que não o vejo.
b) Fazia meses que não a encontrava.
c) Faz anos que não vou lá.

3- Alternativas corretas: todas.

4- a) Vai fazer cinco anos que nos separamos. (ir)
b) Deve fazer seis meses que não nos falamos. (dever)
c) Os alunos devem fazer o exercício proposto. (dever)

Exercício 15

	Coluna 1	Coluna do meio	Coluna 2
a)		X	
b)	X		
c)	X		
d)			X
e)			X
f)	X		
g)			X
h)			X
i)			X
j)		X	
l)			X
m)	X		

	Coluna 1	Coluna do meio	Coluna 2
n)			X
o)	X		
p)			X
q)		X	
r)	X		
s)		X	
t)			X
u)			X
v)			X
x)		X	
z)		X	

Obs: A grafia correta das palavras que são acentuadas: aerólito; aríete; bávaro; látex; monólito; ômega.
Palavras que admitem dupla grafia: acróbata ou acrobata; hieróglifo ou hieroglifo; zângão ou zangão (ambos significam "o macho da abelha"); Oceânia ou Oceania; projétil ou projetil.

Exercício 16

a) "Companhia"; "compania". A única forma que existe é "companhia": "Trabalho em uma companhia multinacional"; "Sua companhia me faz bem, por isso gosto muito de estar com você.
b) "Exceção".
c) "Hortênsia". Não aposte um centavo na letra "c". "Hortênsia" se escreve mesmo com "s".
d) "Aerossol". "Aerosol". "Aerosol e aerossol". É para preservar a pronúncia de "sol" que se dobra o "s" em "aerossol".
e) O "x" de "tóxico". A sua família: intoxicado, intoxicação, intoxicar, toxicômano etc.
f) "Inexorável".
g) "Xácara".

Exercício 17

Abalizado
Agiotagem
Agito
Algema
Amenizar
Amoroso
Análise
Anis
Apogeu
Aragem
Argila
Asilo
Atrás
Atualizar
Avareza
Balizar
Berinjela
Bondoso
Brasa
Burguês
Burguesa
Capitalizar
Catalisar
Civilizar
Colisão
Contagem
Contágio
Coragem
Deslizar
Duquesa
Economizar
Encorajem
Enferrujar
Engrenagem
Escassez
Estupidez
Esvaziar
Extravasar
Flacidez
Fuligem
Fusível
Garagem
Gengibre
Gente
Gesto
Girassol
Hesitar
Hortênsia
Hospitalizar
Humanizar
Imagem
Invalidez
Japonês
Japonesa
Jeito
Jenipapo
Jequitibá
Jibóia
Jiló
Jipe
Lambuzar
Laranjeira
Lisonjear
Litígio
Lojista
Lousa
Maciez
Maisena
Malandragem
Manjericão
Mensagem
Milanesa
Nobreza
Norueguesa
Obséquio
Ojeriza
Origem
Pajé
Pedágio
Personagem
Portuguesa
Presságio
Projétil (ou projetil)
Pus
Pusemos
Quis
Quiser
Rasante
Realizar
Refúgio
Relógio
Repus
Repusemos
Resina
Rigidez
Rijeza
Sacerdotisa
Sarjeta
Singeleza
Sisudez
Suavizar
Subterfúgio
Tigela
Traje
Vagem
Varejista
Vazamento
Vertigem
Virgem
Viscosa
Visível

Exercício 18

1- Alternativas corretas:
a, c, e, g, i, l, n, p.

2- a) Pretérito Perfeito do Indicativo
Eu houve
Tu houveste
Ele houve
Nós houvemos
Vós houvestes
Eles houveram

b) Presente do Subjuntivo
Que eu haja
Que tu hajas
Que ele haja
Que nós hajamos
Que vós hajais
Que eles hajam

Exercício 19

a) 10
b) 6
c) 7
d) 11
e) 2
f) 3
g) 8
h) 4
i) 9
j) 1
l) 5

Exercício 20

1- a) Detiver.
b) Retiver.
c) Mantiver.

2- a) Expuser.
b) Compuser.
c) Impuser.

Exercício 21

Casas; Heróis; Mães. O plural de substantivos terminados em "ãe" é feito com o acréscimo de "s".

Balões; Eleições; Vozeirões. A maioria dos subtantivos terminados em "-ão" (incluídos os aumentativos) substituem essa formação por "-ões" no plural.

Órfãos; Cidadãos; Mãos. Paroxítonos terminados em "-ão" e algumas poucas oxítonas e monossílabas formam o plural pelo acréscimo de "-s".

Alemães; Cães; Pães. Alguns subtantivos terminados em "-ão" substituem essa forma por "-ães".

Verões, verãos; Anões, anãos. São alguns dos casos que aceitam mais de uma forma (a tendência é a forma "-ões").

Homens. Susbtantivos terminados em "-m" têm essa letra trocada por "ns".

Gases; Meses; Países; Os atlas; Os pires; Os lápis; Os ônibus; Os vírus. Susbtantivos terminados em "-s" formam o plural com o acréscimo de "-es".
São porém invariávies quando paroxítonos ou proparoxítonos e aí a indicação de número se faz pelo artigo ou outro determinante.

Barris; Funis; Projéteis; Répteis. Substantivos oxítonos terminados em "-il" trocam o "-l" pelo "-s"; os paroxítonos trocam essa terminação por "-eis".

Abdomens ou abdômenes; Hifens ou hífenes. Alguns substantivos terminados em "-n" fazem plural pelo acréscimo de "-s" ou "-es".

Os tórax. Substantivos terminados em "-x" que não apresentam forma variante terminada em "-ce" têm o plural igual ao singular.

Exercício 22

Aids.
Apartheid.
Bacon.
Blazer.
Blitz.
Check up.
Country.
Delivery.
Diet.
E-mail.
Folder.
Freezer.
Gay.
Hall.
Hippie.
Internet.
Jeans.
Know-how.
Laser.
Light.
Lycra.
Marketing.
Milk shake.
Mouse.
Office boy.
Outdoor.
Pizza.
Reveillon.
Rock.
Self-service.
Sexy.
Shopping.
Short.
Show.
Site.
Skate.
Slide.
Spray.
Teen.
Trailer.
Video game.
Walkman.

Exercício 23

Status – posição, importância;
Executive manager – gerente executivo;
Know-how – conhecimento;
Startar – iniciar, começar;
Downloads – baixa de arquivos;
Deletar – apagar;
Light – leve, tranqüilo;
Stress – estresse;
Full time – período integral;
Black-out – blecaute;
Cash – dinheiro vivo;
Flat – apartamento;
Hall – sala de grandes dimensões;
Feeling – sensação, sentimento, opinião, pressentimento etc.;
Business class – classe executiva;
Rush – grande afluência de veículos;
Check-in – procedimento de apresentação de bilhete de viagem pelo passageiro, e de emissão de cartão de embarque, em aeroporto;
Money – dinheiro;
Free-shop – comércio livre;
Flashback – retrospectiva.

2- Algumas possibilidades:

a) *Short* – calça curta para esporte, de senhora ou de homem;
b) *Pizza* – disco de massa com queijo e molho de tomate;
c) *Jeans* – brim;
d) *Fax* – equipamento que reproduz documentos à distância, através de linha telefônica;
e) *Abajur* – peça de forma variável que preserva os olhos da luz de lâmpada;
f) *Handebol* – jogo semelhante ao futebol, mas que se joga unicamente com as mãos;
g) *Trailer* – exibição de curtos trechos de um filme de próxima apresentação, com fito publicitário;
h) *Batom* – cosmético em forma de pequeno bastão que serve para colorir os lábios;
i) *Bidê* – aparelho sanitário para lavagem das partes inferiores do tronco;
j) *Chá* – árvore ou arbusto da família das teáceas de cujas folhas se faz uma infusão largamente usada em todo mundo;
l) *CD (compact disc)* – disco compacto;
m) *Freezer* – congelador;
n) *Milk shake* – leite batido;
o) *Hambúrguer* – carne passada na máquina, temperada e ligada com ovo, formando massa a que se dá forma arredondada e que se leva a fritar como bife;
p) *Purê* – alimento de consistência pastosa, feito de legumes, batatas ou frutas;
q) *Xampu* – substância saponácea utilizada para lavar os cabelos e o couro cabeludo;
r) *Shopping center* – centro de compras;
s) *Show* – espetáculo;
t) *Sutiã* – roupa íntima feminina destinada a sustentar ou modelar os seios;
u) *Spray* – jato gasoso de aerossol;
v) *Surfe* – modalidade esportiva em que o atleta desliza numa onda de pé sobre uma prancha;
x) *Video game* – programa interativo de finalidade recreativa;
z) *Tênis* – sapato de lona, couro, etc. usado na prática do tênis e de outros esportes.

Exercício 24

1- a) Afetuosamente.
b) Silenciosamente ou tacitamente.
c) Prazerosamente.
d) Impiedosamente.
e) Pudicamente.
f) Indubitavelmente.
g) Paulatinamente.
h) Nitidamente.

2- a) Por que.
b) Alhures.
c) Aqui.

3- a) Com ingenuidade.
b) Com habilidade.
c) Com muito ruído.
d) Com insensatez.
e) Com frieza.
f) De repente.
g) Com intensidade.
h) Com freqüência.

4- a) Advérbio de intensidade.
b) Advérbio de intensidade.
c) Advérbio de modo.

Exercício 25

Sofreu um acidente numa de suas viagens diárias a Petrópolis e correu sério risco de morte. Quando entrou no hospital, seu estado de saúde era muito mau, mas se mostrou um paciente muito dedicado. Graças a um de seus filhos, grande fisioterapeuta, logo se afastou o risco de paralisia, que parecia iminente. Filho prodígio! Foi fundamental para sua recuperação e para economizar um bom dinheiro. As despesas com médicos, nesses casos, costumam ser vultosas. O filho se empenhou muito, mas sempre tratou do assunto com muita discrição. No fim do tratamento, todos disseram que a saúde física do paciente estava vinculada à felicidade que sentia por ter sido atendido pelo próprio filho.

Exercício 26

a) Não é ambígua.
b) É ambígua ("Fiz apenas o exercício"; "Sozinho, fiz o exercício").
c) Não é ambígua.
d) Não é ambígua.
e) Não é ambígua.
f) Não é ambígua.
g) Não é ambígua.
h) Não é ambígua.
i) Não é ambígua.
j) É ambígua ("Ele comeu apenas o bolo"; "Sozinho, ele comeu o bolo").

Exercício 27

1- a) Emília, filha de Cacaia, é uma menina extremamente viva. (Aposto).
 b) Laura, nossa acupunturista é uma excelente profisisonal. (Vocativo).
 c) Não achava que pedia tanto: coragem, iniciativa, resolução de problemas. Afinal, o que esperar de profissionais? (Aposto).

2- Premer, pára. Puxar, parte./Premer, pára; Puxar, parte.

3- Um fazendeiro tinha um bezerro e a mãe; do fazendeiro também era o pai do bezerro.

4- a) Irás. Voltarás. Não morrerás.
 b) Irás. Voltarás? Não. Morrerás.

5- a) CAROLINA, NOSSA SECRETÁRIA, COMPROU UM AUTOMÓVEL.
 b) CAROLINA, NOSSA SECRETÁRIA COMPROU UM AUTOMÓVEL.

No texto A, Carolina é nossa secretária e comprou um automóvel. No texto B, Carolina é a pessoa a quem se dá a informação de que nossa secretária comprou um automóvel.

Exercício 28

1- "Eu cri"; "eu li"; "eu vi"; "eu fui".

2- "Creu"; "creu"; "creu"; "creu"; "acreditou".
"Eu cri; tu creste; ele creu; nós cremos; vós crestes; eles creram."

3- "Premia".

Exercício 29

1- a) Concepção.
 b) Concessão.
 c) Consecução ou conseguimento.
 d) Decisão.
 e) Detenção.
 f) Determinação.
 g) Discernimento.
 h) Esquecimento.
 i) Extinção.
 j) Extração.
 l) Imposição.
 m) Isenção.
 n) Perseguição ou persecução.
 o) Planejamento.
 p) Promessa.
 q) Retração.
 r) Subtração.
 s) Supressão.
 t) Transferência.
 u) Vinda.

Exercício 30

a) 2
b) 3
c) 3
d) 1
e) 3
f) 1
g) 2

Exercício 31

1- Frases corretas: e; f; h; j.

2- "A garota com quem saí"; "A garota com a qual saí".

3- Na primeira, informa-se que a chuva em Belém é diária.
Na segunda, informa-se que chove o dia inteiro.

4- a) De - causa.
 b) Do (de+o) - lugar de origem.
 c) Sobre - assunto.
 d) Com - modo.

Exercício 32

a) Absolver ———— 4) Inocentar, perdoar.
b) Absorver ———— 9) Sorver; consumir, esgotar.
c) Acento ———— 7) Tom de voz, sinal gráfico.
d) Assento ———— 1) Lugar de sentar-se.
e) Acerca de ———— 11) Sobre, a respeito de.
f) Cerca de ———— 12) Aproximadamente.
g) Há cerca de ———— 16) Faz aproximadamente (tempo transcorrido).
h) Aferir ———— 13) Conferir, comparar, medir.
i) Auferir ———— 8) Colher, obter.
j) Afim de ———— 2) Semelhante a, parente de.
l) A fim de ———— 10) Para, com a finalidade de.
m) Aprender ———— 5) Instruir-se.
n) Apreender ———— 6) Assimilar, tomar.
o) Assoar ———— 3) Limpar o nariz.
p) Assuar ———— 14) Vaiar, apupar.
q) Caçar ———— 17) Apanhar animais ou aves.
r) Cassar ———— 23) Anular, suprimir.
s) Cavaleiro ———— 19) Aquele que sabe andar a cavalo.
t) Cavalheiro ———— 20) Homem educado.
u) Censo ———— 21) Recenseamento.
v) Senso ———— 22) Raciocínio, juízo claro.
x) Cerrar ———— 18) Fechar.
z) Serrar ———— 15) Cortar.

Exercício 33

1- a) Você não sabe o que isso tudo significou para mim. Anos e anos de dedicação a você. E, agora, sei que não o/a desculparei mais. Se você tivesse me concedido uma chance, eu poderia tê-lo/a ajudado. O seu problema é que você nunca me deixa falar. Só que, desta vez, você terá de me ouvir. Não será como da última vez, quando você nem sequer me ouviu. Ouviu a todos, menos a mim. Mas um dia você entenderá que as minhas intenções eram muito mais verdadeiras do que talvez parecessem. Agora falta pouco para que eu o/a deixe. Antes, porém, você terá de me escutar. Eu sei que, quando você ouvir tudo o que eu tenho para lhe dizer, vai rezar para que o relógio ande para trás. Vai fazer de tudo para me compreender, e me pedir desculpas por todas essas acusações levianas que você ousou proferir contra mim.

b) Tu não sabes o que isso tudo significou para mim. Anos e anos de dedicação a ti. E, agora, sei que não te desculparei mais. Se tu tivesses me concedido uma chance, eu poderia ter-te ajudado. O teu problema é que tu nunca me deixas falar. Só que, desta vez, tu terás de me ouvir. Não será como da última vez, quando tu nem sequer me ouviste. Ouviste a todos, menos a mim. Mas um dia tu entenderás que as minhas intenções eram muito mais verdadeiras do que talvez parecessem. Agora falta pouco para que eu te deixe. Antes, porém, tu terás de me escutar. Eu sei que, quando tu ouvires tudo o que eu tenho para te dizer, vais rezar para que o tempo volte para trás. Vais fazer de tudo para me compreender, e me pedir desculpas por todas essas acusações levianas que tu ousaste proferir contra mim.

Exercício 34

1- Maceió.
Manacá.
Pavê.
Você.

2- Em todas as palavras há hiato.

A-ba-di-a.
A-la-ú-de.
U-to-pi-a.
Do-en-ti-a.
La-da-i-nha.
Mo-e-da.
Pi-a-da.
Pi-or.
Po-e-ta.
Ra-i-nha.
Ru-im.
Ru-í-nas.

Exercício 35

1- a) Acórdão. b) Álanos. c) Álbuns.
d) Âmbar. e) Árduo. f) Beribéri.
g) Bíceps. h) Calcário. i) Negociável.
j) Delícia. l) Filantropo. m) Galáxia.
n) Lápis. o) Látex. p) Mártir.
q) Misantropo. r) Ônix. s) Ônus.
t) Órfãos. u) Personalidade. v) Retrátil.
x) Sangue. z) Vácuo.

Todas as palavras são paroxítonas.

2- a) Ga-fi-ei-ra.
b) Jei-to.
c) La-mú-ria.
d) Ma-dei-ra.
e) Má-goa.
f) Mai-o-ri-da-de.
g) Mui-to.
h) Nó-doa.
i) O-ri-fí-cio.
j) Sei-xo.
l) So-li-dá-rio.
m) Tá-bua.
n) Tê-nue.

Em todas as palavras há ditongo.

Exercício 36

a) Havia/existiam.
b) Houvesse/existissem.
c) Há/existem.
d) Havia/existiam.
e) Houvesse/existissem.
f) Haja/existam.
g) Haverá/existirão.
h) Há/existem.

Exercício 37

1- Algumas possibilidades:

a) Asa.
b) Estomacal.
c) Aquático.
d) Ouvido.
e) Boi.
f) Matinal.
g) Face.
h) Gato.
i) Bucal.
j) Canino.
l) Caneta.
m) Homem.
n) Mulheraça, mulherão.
o) Borrachona.
p) Pele.
q) Gotícula.
r) Ovo.
s) Caderneta.
t) Casa.

Exercício 38

1 - a) Subida.
b) Fora.
c) Final.
d) Futuro.
e) Final.
f) Dentro.
g) Nova.
h) Pessoal.
i) Elo.
j) Alegria.

2 - a) Ele ficou muito cansado após subir aquela rampa (escadaria, rua etc).
b) Nós estávamos vendo se ela conseguiria tirar o carro da garagem.
c) Acabamos de tirar uma conclusão do capítulo.
d) Ela nunca fala de seus planos.
e) Para a casa ficar pronta, só falta o acabamento.
f) Peça a ele que entre, por gentileza.
g) Temos que criar uma maneira de agir com aquele rapaz.
h) Isso é uma opinião sua, portanto não generalize.
i) Não consigo me separar dela. Existe um forte elo (ou "uma forte ligação") entre nós.
j) Ao saber que tinha sido aprovado, o rapaz e seus familiares exultaram.

Observação: As resposta sugeridas não são as únicas possíveis.

Exercício 39

1- a) Preferem.
b) Prefere.
c) Concorda.
d) Concordam.
e) Está preparada.
f) Estão preparadas.
g) Gostam.
h) Vota.
i) Vota.
j) Vota.
l) Estão.
m) Perde.
n) Precisam.
o) Precisam.

Exercício 40

1- a) Notaram.
b) Castigaram.
c) Impediram.
d) Contribuíram.

2- a) Por favor, mamãe: se for à feira, traga-me um pé-de moleque.
b) Mas isso é um guarda-chuva ou um guarda-sol?
c) Esta mochila é muito grande; coloque-a no porta-malas.
d) Já ouvi dizer que seu namorado é um verdadeiro pé-de-valsa. Isso é verdade?

Exercício 41

a) Ao encontro dos.
b) De encontro aos.
c) Vislumbra.
d) Deslumbra.
e) Retificação.
f) Ratificou.
g) Sessão.
h) Seção.
i) Seqüestrou.
j) Raptada.

Exercício 42

Márcia querida,

Você nem imagina o que tenho para lhe contar! Depois de alguns meses, resolvi seguir os conselhos de uma grande amiga, que me disse que, quando se percebe que o casamento não vai muito bem, o melhor que se pode fazer é pular fora o quanto antes. Ela acha que, se existe a possibilidade de a relação fracassar, é melhor poupar as crianças. Alguns especialistas, no entanto, dizem que é preciso suportar a situação, pois o que a criança quer mesmo é ver os pais juntos, mesmo que infelizes. O que você acha?

Independentemente de qualquer coisa, resolvi ouvir o meu coração, sábio e fiel conselheiro, e pus um fim naquela história toda. Quando se ouve a voz do coração, não há erro! Porque, no fim das contas, é ele quem mais nos conhece...

Mas, voltando às novidades, o coração me pregou outra peça: descobri-me apaixonada por um velho amigo, alguns meses depois da separação. Você sabe, as pessoas logo fazem mau juízo e começam aquela velha ladainha de que se agiu de caso pensado... Será que é tão difícil assim acreditar nos semelhantes? Está certo que tudo se passou apenas dois meses depois da separação, mas por que iria esconder um romance se o casamento já havia chegado ao fim? Quando se age com determinação, a inveja parece tomar todos os nossos amigos de sobressalto.

Para encurtar essa história, casei com esse amigo e estamos muito felizes. Daqui a um mês, teremos nosso primeiro filho!

Exercício 43

1- a) Um; mil; um; hum.
   b) Milhão; milhar;
      os dois; milhares; milhões.
   c) Cardinal; vezes.
   d) Bilhão.
   e) Fracionários; meio; metade;
      terço. Ordinal; cardinal;
      avos; avos; avos.

2- Complete o quadro abaixo:
   onze, décimo primeiro;
   doze, décimo segundo;
   treze, décimo terceiro;
   catorze, décimo quarto;
   quinze, décimo quinto;
   dezesseis, décimo sexto;
   dezessete, décimo sétimo;
   dezoito, décimo oitavo;
   dezenove, décimo nono;
   vinte, vigésimo;
   vinte e um, vigésimo primeiro;
   trinta, trigésimo;
   quarenta, quadragésimo;
   cinqüenta, qüinquagésimo.

Exercício 44

1- a) "Ele tornou possíveis todos os meus sonhos".
   b) "A Prefeitura não mantém limpas as ruas".
   c) "O critério dele nos cartões está muito bom".
   d) "Doces caseiros"; "comidas caseiras".

Índice remissivo e onomástico

Erros freqüentes

Bibliografia

Academia Brasileira de Letras.
Vocabulário Ortográfico da Língua Portuguesa.
Rio de Janeiro. A Academia, 1998.

Almeida, Napoleão Mendes de.
Gramática Metódica da Língua Portuguesa.
São Paulo. Saraiva, 1997.

Aulete, Caldas.
Dicionário Contemporâneo da Língua Portuguesa.
Rio de Janeiro. Delta, 1964.

Barreto, Mário.
Novos Estudos da Língua Portuguesa.
Rio de Janeiro. Acadêmica, 1966.

Cipro Neto, Pasquale/Infante, Ulisses.
Gramática da Língua Portuguesa.
São Paulo. Scipione, 1998.

Cipro Neto, Pasquale.
Português com o Professor Pasquale.
São Paulo. Publifolha, 1999.

Cunha, Celso/Cintra, Luís F. Lindley.
Nova Gramática do Português Contemporâneo.
Rio de Janeiro. Nova Fronteira, 1985.

Holanda, Aurélio Buarque de.
Novo Aurélio Século XXI.
Rio de Janeiro. Nova Fronteira, 1999.

Leme, Odilon Soares.
Tirando Dúvidas de Português.
São Paulo. Ática, 1995.

Kury, Adriano da Gama.
Gramática Fundamental da Língua Portuguesa.
São Paulo. Lisa, 1972.

Lapa, Manoel Rodrigues.
Estilística da Língua Portuguesa.
São Paulo, Martins Fontes, 1982.

Lima, Rocha.
Gramática Normativa da Língua Portuguesa.
Rio de Janeiro. José Olympio, 1998.

Luft, Celso Pedro.
Grande Manual de Ortografia Globo.
São Paulo. Globo, 1983.

Luft, Celso Pedro.
Dicionário Prático de Regência Verbal.
São Paulo. Ática, 1996.

Luft, Celso Pedro.
Dicionário Prático de Regência Nominal.
São Paulo. Ática, 1997.

Martins Filho, Eduardo Lopes.
Manual de Redação e Estilo.
São Paulo. O Estado de São Paulo, 1997.

Terra, Ernani/Nicola, José.
Gramática de Hoje.
São Paulo. Scipione, 1999.